BATEAUX en BOIS

des Canots aux Yachts

BATEAUX en BOIS
des Canots aux Yachts

Joseph Gribbins

Introduction de Jon Wilson

Traduction Stan Barets

Image et Page

WOODEN BOATS
From Sculls to Yachts
was prepared and produced by
Michael Friedman Publishing Group, Inc.
15 West 26th Street
New York, New York 10010

Éditeur : Stephen Williams
Maquettiste : Judy Morgan
Éditeur photo : Christopher C. Bain

Imprimé à Hong Kong par Leefung-Asco Printers Ltd.

Dédicace

En mémoire de tous les estivaliers de Scudders Falls dont
les navires m'apportèrent tant de bonheur dans ma jeunesse.

Remerciements

Les auteurs remercient Peter Spectre, Jon Wilson, Paul Lipke et
Phil Bolger pour leurs encouragements et leurs précieux conseils,
ainsi que les photographes responsables de ces merveilleux
clichés.
Mais leur gratitude va surtout à tous les amoureux, propriétaires
ou restaurateurs de ces admirables navires.

SOMMAIRE

La qualité sculpturale des bateaux en bois justifie souvent la magie qu'exercent ces navires. C'est le cas de ce petit cat-boat démâté dont on admire le galbe magnifique au chantier naval de Cutts & Case sur les rives du Maryland (USA).

Au dire de nombreux marins, seuls les bateaux en bois sont dotés d'une âme car, à la différence d'autres navires issus de la production de masse, ce sont d'authentiques êtres vivants.

Le profane reste sceptique ou refuse un tel romantisme. Pourtant, il ne s'agit pas d'un amour aveugle. Un attachement profond du cœur et de l'esprit nous lie à ces navires. L'agencement des bois, la forme d'un madrier ou d'un pont, se parent de la qualité des créations antiques combinant l'usage d'un matériau ancien à une technique ancestrale. Ce charme est sans doute lié au talent capable de transformer un arbre en un navire et de métamorphoser la puissance en grâce. En vérité, rares sont les domaines contemporains où l'art, la science et la nature, se conjuguent de manière aussi évidente.

Arpenter une chênaie pour trouver le bois qui donnera une quille et une charpente parfaite, chercher dans la forêt le cèdre qui livrera le plus beau placage, le noyer ou le cerisier dont la couleur chaude embellira le carré, constituent autant de traditions séculaires en voie de disparition. Désormais peu de charpentiers navals choisissent leurs bois sur pied. Pourtant, tous les vrais artisans ont encore un œil exercé pour sélectionner la meilleure fibre de sapin afin d'obtenir un mât robuste, capable de supporter la toile immense.

L'amour de ces hommes pour leur matériau, ne diffère guère de celui d'un luthier attentif à choisir les meilleurs bois. La fibre, l'aspect et surtout l'âge du bois sont des éléments essentiels. Les vieux

Les propriétaires et admirateurs des bateaux en bois apprécient l'ingéniosité des détails qui témoignent d'un haut niveau d'artisanat, tel ce bout-dehors qui semble allonger le pont arrière d'un canot de la baie de Cheasapeake.

arbres dont on a longtemps laissé vieillir le bois après la coupe, donnent la meilleure qualité. Car il est vrai que la sagesse ne s'obtient qu'aux prix des ans.

Appliquée à une embarcation, cette notion peut surprendre. Pourtant, ce n'est pas absurde. La sagesse naît du cumul du talent et de l'expérience ; et l'art du charpentier naval englobe ces deux termes. L'ouvrier dégrossissant un madrier à la hache et à l'herminette, ou sciant et rabotant une planche, fait œuvre de sagesse et d'amour. En assemblant un squelette fait d'une quille et d'une charpente et en le dotant d'un bordage en guise de peau, l'ouvrier crée un être vivant.

En assistant à la construction d'une embarcation en bois, on devient témoin d'une extraordinaire métamorphose. Certes, toute construction, quelqu'en soit le type, présente un même caractère miraculeux. Mais je n'ai jamais ressenti un engouement aussi extrême qu'en présence de l'union si féconde d'un matériau naturel et d'un savoir millénaire. La simplicité même du processus rend cette création fascinante. Nous serions, pour la plupart, incapables de construire une voiture dans une arrière-cour ou même, pour rester dans notre sujet, de créer un bateau en fibre de verre. Ceci implique des technologies aussi onéreuses que complexes. Pourtant, un peu de patience et un minimum d'habileté suffisent à tout un chacun pour construire le bateau de ses rêves dans son jardin.

Dans un monde où le progrès technique dépasse souvent l'entendement, nous avons besoin de ce contact physique avec la matière, sous peine de perdre notre capacité d'émerveillement.

Par chance, il existe des bateaux en bois adaptés à tous les goûts. Anciens ou modernes, à voile ou à vapeur, on trouve toutes sortes d'embarcations, des plus petites aux plus vastes, des plus lentes aux plus rapides. Certains spécialistes fabriquent des canoës si légers qu'on les porte d'une main. Des chantiers navals continuent à mettre en œuvre des dragueurs de mines en bois qui sillonnent les océans pour le compte de l'U.S. Navy. Des constructeurs de navires utilitaires, de yachts, de simples esquifs ou de hors-bord, perpétuent volontairement l'usage du bois, plus facile à assembler, mieux adapté à l'élément aquatique et plus simple à réparer même dans les lieux les plus reculés de la planète. Ces artisans aiment sentir son contact sous leurs mains, la manière dont il se cintre pour adopter les formes les plus gracieuses, ou la façon dont il semble accompagner chacun de leurs gestes.

Tant bien que mal, ces hommes réussissent à survivre à une époque marquée par la vitesse et les technologies de pointe, développant même des méthodes nouvelles pour faire pénétrer l'art et la science de l'architecture navale dans le XXIème siècle. Pour eux, l'avenir paraît serein. Car, à la différence des matériaux synthétiques utilisés pour certains navires modernes, ils savent que la matière première dont ils usent, est en perpétuelle régénération. Le bois est un matériau dont la Terre est prodigue si on sait le gérer avec soin et amour.

Les navires en bois sont le parfait symbole du pouvoir transformateur et créateur de l'homme. Un telle qualité force le respect. Remercions donc Joseph Gribbins de nous faire partager son amour exclusif pour ces navires. Je connais peu d'hommes aussi aptes à en dresser un portrait enthousiasmant. Sa connaissance des bateaux, jointe à son talent d'écrivain et de photographe, font de ce livre une fête pour tous les amoureux de l'eau et du bois.

Les bateaux en bois témoignent d'une longue tradition de construction navale. Ainsi, ces barques anglaises peuvent revendiquer un lointain héritage viking.

Jon Wilson

Rédacteur en chef du magazine *WoodenBoat*

BEAUTÉ ET VÉRITÉ

L'authenticité des bateaux en bois et le sentiment d'intégrité qui transparaît sous leur beauté, se révèlent dans leur conception, dans l'ingéniosité de leurs agencements et dans la commodité des détails imaginés par les charpentiers depuis des temps immémoriaux.

Comme le modèle photographié ci-contre *au milieu des joncs, les canots à ossature de cèdre recouverts de toile, comptent parmi les types les plus répandus. Ces embarcations s'inspirent des canoës en bouleau utilisés autrefois par les Indiens Algonquins des Etats-Unis et du Canada.*

Sur les pages précédentes, on peut admirer un *splendide rameur de Martin Marine.*

COMME LE SAVENT TOUS LES POÈTES, LA BEAUTÉ ET LA VÉRITÉ NE FONT QU'UN. En matière de bateaux, la qualité esthétique peut sembler plus évidente que la vérité. Pourtant, l'authenticité des bateaux en bois et le sentiment d'intégrité qui transparaît sous leur beauté, se révèlent dans leur conception, dans l'ingéniosité des agencements et dans la commodité des détails imaginés par les charpentiers depuis des temps immémoriaux. Qu'il s'agisse d'un robuste élément d'accastillage sur un navire utilitaire, ou de la courbe gracieuse d'un rouf surélevé pour permettre aux occupants d'un yacht de se tenir debout dans le carré, tout est soigneusement mis en œuvre pour concilier l'utile et l'agréable. Ces deux qualités se retrouvent dans les détails les plus infimes, la peinture d'un vieux navire échoué à l'abandon, la courbe élégante d'un coupe-vent en acajou sur un hors-bord ou un pont en teck qui permet de conserver le pied stable même quand les flots passent par-dessus le bastingage.

Les bateaux en bois présentent un mélange d'idées ingénieuses et de formes et de surfaces qui flattent l'œil, même si on n'en comprend pas toujours l'utilité. Pourtant en s'initiant au mode de fonctionnement de ces navires, en les travaillant et en les restaurant, on en vient à les admirer. Les amateurs sont ainsi profondément attachés à l'objet de leur désir et certains n'hésitent pas à les parer de qualités quasi-mystiques.

Tous les bateaux présentés dans cet ouvrage traduisent ce lien durable qui unit la sensibilité

Le canot ponté, entièrement en bois, et propulsé par une double pagaie, est un grand classique d'origine anglaise. Cette embarcation, très répandue à la fin du siècle dernier, connait actuellement un regain de popularité.

© Neil Rabinowitz

d'un homme à un bel objet d'art. Ces navires sont des beautés, éternellement fidèles aux principes qui ont présidé à leur fonction, à leur agencement et à la manière dont ils satisfont au mieux leurs propriétaires. Chacun d'eux est un objet d'amour.

S'ils ne sont pas encore convertis à cette passion, les amoureux de la mer et des navires ont tendance à tourner en dérision cette « religion du bateau en bois ». Ainsi le *Nautical Quarterly* publiant un article sur le regain de ce type d'embarcation, n'hésita pas à parler de « réaction presque religieuse ». Pourtant ces remarques ne dissimulent le plus souvent qu'un sentiment d'admiration. La majorité s'accorde pour reconnaître que les bateaux en bois sont de splendides créations, symboles d'intelligence et de qualité d'exécution. Même les propriétaires de bateaux en

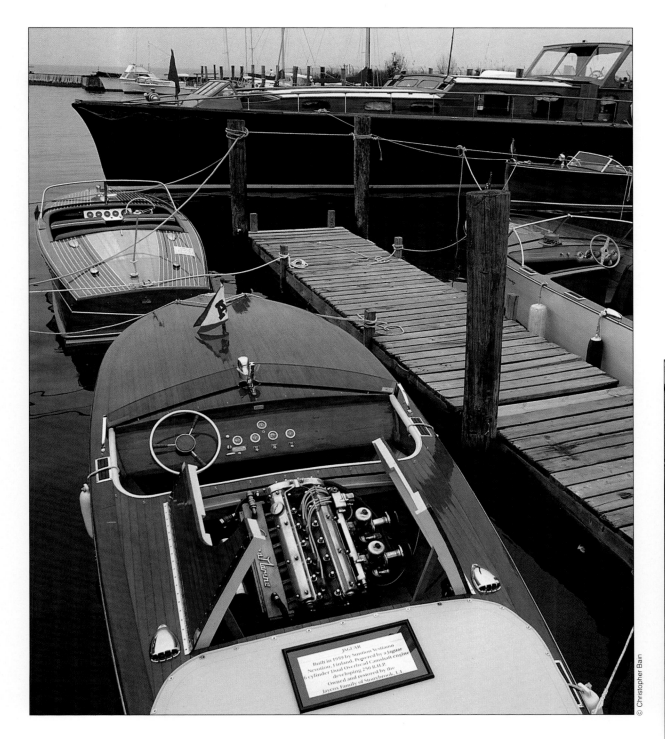

Les runabouts en acajou vernis, ces « voitures de sport flottantes », construits par milliers de 1920 à 1960, connaissent également un fort regain de popularité. Comme les modèles présentés sur cette page, ils sont souvent restaurés et conservés dans un état aussi parfait qu'à l'origine.

© Christopher Bain

© Christopher Bain

Autres navires sportifs, les voiliers de course à coque de bois ont réussi à survivre à la mode de la fibre de verre et aux fréquents changements de règlementations. Les survivants, comme cette embarcation à l'ancre ou ce superbe douze mètres de 1930 naviguant sous pleine toile, restent encore dignes d'admiration.

© Benjamin Mendlowitz

© Eric Poggenpohl

fibre de verre ou en aluminium — qui ne sont en réalité que de simples instruments flottants engendrés par une production de masse — ne peuvent s'empêcher d'être admiratifs. Loins d'être des objets d'amour, leurs embarcations, en dépit de la nouveauté, n'ont que l'apparence d'un bateau. Elles n'en ont pas l'âme.

Ceux qui n'en pas été touchés par la grâce de cette passion, s'interrogent fréquemment sur les adeptes de cette folie que le *Nautical Quarterly* qualifie d'« irrationnelle et d'excessive » et sur ces fanatiques qui n'auraient d'autre don que « la capacité à ignorer totalement les conseils donnés par leurs comptables ». S'il est vrai que les petites embarcations en bois, simples et peu sophistiquées, n'exigent qu'un peu de folie ; il faut bien reconnaître qu'un navire de grande taille — yacht de plaisance ou voilier de croisière — représente un loisir aussi fou que dispendieux.

Pourtant, tels des œuvres d'art, ces bateaux, témoins d'un âge suranné, méritent amplement une telle dévotion.

GRANDEUR ET DÉCADENCE DES BATEAUX EN BOIS.

Le regain, et donc la passion, des navires en bois, est un phénomène récent.

L'histoire de Jimmy Potter nous permettra d'illustrer notre propos. A présent associé d'un chantier naval de restauration près d'Ottawa, au Canada, cet homme passa toute son enfance le long de la Rideau River. Là-bas, jusque vers les années soixante, les canoës de cèdres ou les chaloupes en acajou se comptaient par milliers. Dans son ouvrage, *On a Sunday Afternoon*, publié par les soins du Manotick Classic Boat Club d'Ottawa, Potter écrit : « *Dans les années 1965 lorsque les bateaux en résine et fibre de verre atteignirent le sommet de leur popularité, il ne subsistait*

Parmi les classiques indémodables, les guideboats des Adirondack sont toujours en usage dans le nord des Etats-Unis. Depuis plus d'un siècle, leur construction n'a jamais été interrompue.

plus que trois ou quatre hors-bords en acajou sur le Long Reach. Mais vers 1975, on enregistra un regain d'intérêt aboutissant à la constitution du Manotick Classic Boat Club qui, plus tard, se fédéra à une organisation internationale comptant plus de 3000 membres possédant ensemble quelques 10 000 bateaux en bois. »

Cette brusque disparition, suivie d'une sorte de résurrection, se produisit partout à plus ou moins grande échelle. De 1960 à 1980, aux Etats-Unis, au Canada, en Australie, en France, en Allemagne, en Angleterre ou en Scandinavie, presque tous les bateaux en bois furent remplacés par de nouveaux navires en fibre de verre ou parfois en aluminium. Inaltérables, ces engins nécessitaient moins d'entretien (peinture ou vernis) et rendaient des services quasiment identiques. Ils représentaient surtout l'attrait du neuf. Il faut aussi reconnaître que certains avaient fière allure comme le célèbre 9,50 mètres de pêche sportive de Bertram Yacht, les petits croiseurs et bateaux de vitesse produits par Chris-Craft et Glasspar, voire même certains utilitaires sortis des chantiers de Boston Whaler.

La nouvelle mode s'implanta un peu partout. Les modèles récents supplantèrent rapidement les anciennes embarcations qui furent laissées à l'abandon, détruites ou revendues sur le marché de l'occasion. Des gamins purent ainsi acquérir d'anciens bateaux de course, et quelques esprits romantiques firent l'acquisition de voiliers qu'ils tentèrent d'entretenir au mieux avec des moyens de fortune. A la fin des années soixante, un propriétaire de chantier naval de ma connaissance alla même jusqu'à détruire au bulldozer une dizaine de bâtiments pour réduire ses dettes et gagner de la place. A la même époque, un collectionneur, désirant acquérir un ancien croiseur Chris-Craft des années quarante, eut la triste surprise d'apprendre que le navire avait été transformé en bois de chauffage la semaine précédente ! Moi-même, dans ma jeunesse, après avoir reçu en cadeau

© Christopher Bain

Tels ce langoustier échoué et ces barques de location enchaînées sur le rivage, traités à la dure et abandonnés sans égard pour la qualité de l'artisanat qu'ils représentent, les navires de labeur connaissent souvent un triste sort.

© Christopher Bain

© Allan Weitz

Il est clair que certains bateaux en bois furent conçus, dès l'origine, comme des objets de luxe réservés à une élite. C'est le cas de cette yole de 45 kilos, fonctionnelle et pourtant travaillée avec autant de soin qu'un meuble précieux, qui fut créée par le célèbre Murray Peterson pour compléter l'armement de ses goélettes traditionnelles.

un hydroplane à moteur hors-bord des années vingt, je m'empressai de récupérer l'acajou et les éléments de cuivre pour financer d'autres projets.

Un bateau ancien, à cette époque, n'était rien d'autre qu'une « vieillerie » absurde et sans intérêt.

LES GARDIENS DE LA FLAMME

Qu'advint-il alors de nos idées de beauté et de vérité ? Il faut bien reconnaître que la situation devint désastreuse. De très nombreuses embarcations furent détruites et seuls quelques amateurs éclairés perdurèrent dans leur foi. Par amour des anciens modèles ou parce que leur impécuniosité les empêchait d'acquérir les nouvelles embarcations « améliorées », ils continuèrent à entretenir leurs bateaux en remplaçant les bois avariés et en refaisant régulièrement les peintures et les vernis.

Cependant, à partir des années soixante-dix, de nombreux amateurs n'ayant pas bénéficié de cette opportunité, commencèrent à éprouver de la nostalgie pour les bateaux d'antan.

L'un d'eux, un homme d'affaires qui se souvenait avoir passé des heures dans sa jeunesse à rêver devant les vitrines d'Elco à Manhattan, décida de racheter un 11,50 mètres construit par la firme en 1929. Le bâtiment étant dans un état raisonnable ; sa restauration fut donc estimée entre 800 et 1 200 dollars. Mais les rêves n'ont pas de prix et les travaux durèrent trois ans pour un montant total de 150 000 dollars ! Il va sans dire qu'au terme de ce processus, le navire se trouvait dans un état parfait, comme au premier jour.

Un de mes amis, propriétaire d'un chantier naval dans le New Jersey, accepta un Elco de 10,40 mètres en règlement d'une ancienne dette. La restauration, exécutée dans son atelier, dura trois

Equipés pour le ramassage des langoustes, des coquillages, et la pêche au large de la Nouvelle-Angleterre et du Canada, les petits chalutiers (ci-contre et page suivante), illustrent un des types de navire de labeur les plus répandus. Originaires des provinces maritimes du Canada, ils continuent à être fabriqués en bois et combinent à merveille, force, rusticité et beauté.

© Christopher Bain

ans. Si elle avait dû être facturée, elle aurait coûté au moins 50 000 dollars. Une fois la remise à neuf effectuée, cet ami jurait partout qu'il ne voulait plus jamais entendre parler d'un Elco. Pourtant, peu après, il fit l'acquisition d'un 13 mètres qu'il entreprit bientôt de restaurer.

Jimmy Potter, l'homme qui a rédigé des pages si émouvantes sur ses souvenirs canadiens, nous fournit un dernier exemple. En 1965, Jimmy hérita d'un petit canot à moteur, un vieux *runabout* de Peterborough, dans un triste état, les sièges remplacés par des tabourets de bar et la coque barbouillée d'une peinture artisanale. Néanmoins il se lança courageusement dans sa remise à neuf et fit ainsi naître sa vocation d'entrepreneur spécialiste de la restauration navale.

Ces anecdotes traduisent avec éloquence la force de cette « réaction presque religieuse ». Grâce

au travail de sauvetage et de restauration de quelques enthousiastes, un petit nombre de bateaux à bois purent ainsi survivre à l'ère des navires modernes.

Dans certaines régions des Etats-Unis, comme le Maine, les deux Caroline ou la côte nord du Pacifique, des dizaines de petits chantiers navals continuèrent à produire des bateaux en bois, comme les langoustiers du Maine avec leurs bordages de cèdre blond sur une structure en chêne. Dans les mêmes chantiers, quelques yachts de luxe en bois furent aussi construits à l'intention d'une clientèle amoureuse des traditions et suffisamment fortunée pour en assurer les frais d'entretien. Ces amateurs étaient d'ailleurs généralement assez avisés pour conserver en état des bâtiments parfois âgés d'un demi-siècle.

Pour des raisons économiques, des petits patrons, propriétaires de navires utilitaires comme les ostréiculteurs ou les pêcheurs de crabes de la Chesapeake Bay, conservèrent également leur navire faute de pouvoir le renouveler. Enfin, il faut aussi compter quelques centaines de constructeurs amateurs de bateaux à rames, petits voiliers ou canots à moteur. Certains ne faisaient que perpétuer la mode des années cinquante à l'époque des bateaux en contreplaqué livrés en kit ; d'autres ne voyaient dans cet artisanat que l'occasion de réaliser une économie par rapport à l'achat d'une barque en aluminium ; une minorité seulement était constituée d'authentiques artisans désireux d'œuvrer dans le respect de la tradition.

LE RENOUVEAU

Ces derniers s'inspiraient de l'exemple de John Gardner, historien, architecte naval et apôtre de la tradition, qui se fit connaître dans les années soixante par une chronique mensuelle dans le *National Fisherman*, avant de devenir responsable de la boutique de construction navale de Mystic Seaport dans le Connecticut. A lui seul, Gardner fut à l'origine du regain d'intérêt envers nombre de petits bateaux traditionnels, comme les doris, les Whitehall, les Maine's Rangeley Lakes boats, les sharpies et les peapods.

Vers 1975, la tradition supposée éteinte de la construction navale en bois commença à renaître en dépit de la suprématie des matériaux modernes. La beauté et la vérité ne s'oublient jamais. Et, trente ans après les débuts de l'ère industrielle, l'intérêt manifesté pour tous les divers types de bateaux en bois — navires anciens, restaurés ou construits selon la tradition — déboucha sur un début d'organisation.

La première exposition mondiale d'« *Antique Boats* » s'ouvrit à la fin des années soixante sous

© Allan Weitz

Certains petits bateaux en bois évoquent parfois des chefs d'œuvre d'ébénisterie, comme ce magnifique guideboat des Adirondack équipé d'un charmant siège en osier.

Ces deux photos illustrent à merveille l'évolution
de l'aviron. Stables, élégants, relativement
rapides et parfaits pour une excursion, les anciens
rameurs anglais (ci-dessous)contrastent
avec le profil effilé de cet aviron de
compétition, aussi rapide qu'instable,
qui n'a d'autre fonction que la course.
Le premier est pourtant l'ancêtre
lointain du second.

© Nick Rogers

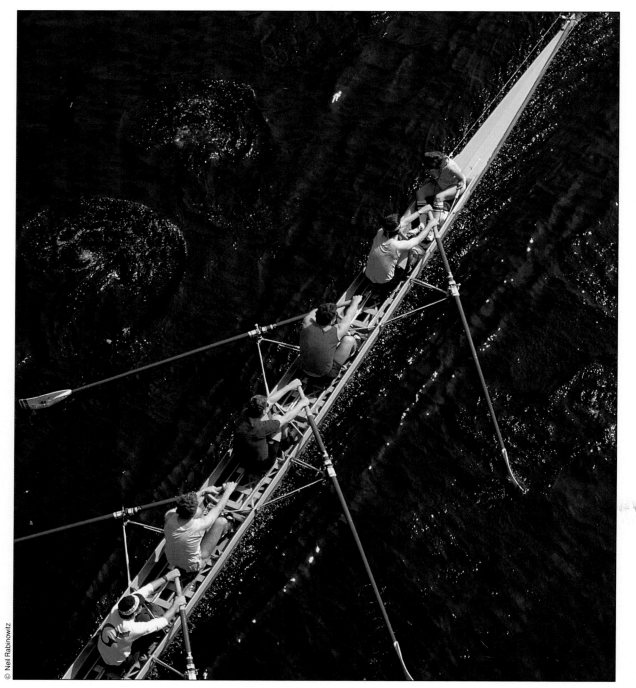

© Neil Rabinowitz

Presque tous les bateaux en bois témoignent de hautes qualités artistiques.
Les bâtiments traditionnels combinaient parfois involontairement le style et la matière ; mais les plus récents, comme le Ravelston (ci-contre), s'affirment comme d'extraordinaires réalisations.
Ce bateau de liaison fut conçu en 1939 par le célèbre John Hacker.

l'égide du futur Thousand Islands Shipyard Museum de Clayton, dans l'Etat de New-York, et donna naissance à de nombreuses autres manifestations du même genre. Créée en 1975 à Lake George, dans l'Etat de New- York, l' « Antique and Classic Boat Society » se développa jusqu'à devenir une fédération réunissant cinq mille membres répartis en trente-quatre associations du Canada à la Floride, en passant par la Californie.

La même année, le capitaine Melbourne Smith, constructeur naval et artiste, entra en négociation avec la ville de Baltimore pour mettre en chantier le *Pride of Baltimore*, réplique exacte d'un navire ancien qui fut le premier d'une longue série de bâtiments construits dans le monde entier afin de faire revivre la marine d'antan.

Les bateaux en bois ont aussi leurs temples. Ce sont les chantiers navals spécialisés où l'on travaille à leur construction et à leur restauration. Ces clubs sont de plus en plus nombreux et les expositions et les publications consacrées aux classiques, ne cessent de se multiplier.
Le chantier de Cutts & Case, photographié ci-dessous à Oxford dans le Maryland, est un des plus célèbres.

© Eric Poggenpohl

En 1970, Mystic Seaport, dans le Connecticut, organisa sous la présidence du légendaire John Gardner, le premier Small Craft Workshop, la réunion annuelle réservée aux voiliers et bateaux à rames traditionnels, généralement construits par leurs propriétaires.

Dès la fin des années soixante, Dick Wagner mit en place une location de voiliers et de bateaux à rames traditionnels sur le Lake Union, au centre de Seattle. Puis, quelques années plus tard, il ouvrit son chantier d'Old Boathouse réservé à la vente des bateaux en bois, et fut ainsi à l'origine de la constitution de la « Traditional Wooden Boat Society » sur la côte ouest et de la création du « Center for Wooden Boats » de Seattle.

En 1972, Lance Lee ouvrit le premier de ses deux « Apprenticeshops » (atelier d'apprentissage) du Maine pour perpétuer la construction navale selon le mode traditionnel, faire naviguer les bateaux et enseigner les anciennes méthodes artisanales.

Enfin, 1974 vit le lancement du magazine *WoodenBoat* destiné à célébrer ce phénomène de renouveau et à donner aux propriétaires de bateaux de nombreux conseils pratiques ou des informations parfois fort complexes sur les diverses qualités des bois. Installé dans une belle demeure du front de mer à Brooklin dans le Maine, *WoodenBoat* continue aujourd'hui merveilleusement sa tâche et contribue à la pérennité de ce renouveau.

Dans le même temps, on assista à la création de nombreux clubs spécialisés, comme la Traditional Small Craft Society, le Port Elco Club, l'Antique Outboard Racing Association, la Wooden Boat Foundation, la Catboat Association, le Chris-Craft Antique Boat Club et la Great Lakes Wooden Sailboat Society.

Aujourd'hui, on compte, tant en Amérique qu'en Europe, de nombreuses associations regroupant tous les enthousiastes. Quelque soit son choix, embarcation de petite ou de grande taille, de

Les courses et les croisières réservées aux bateaux en bois ne cessent de se multiplier. Ainsi, depuis des décennies, on organise des compétitions dans la baie de Chesapeake (ci-dessous). A gauche, deux yawls Concordia naviguent de concert à l'occasion d'une épreuve.

Les voiliers utilitaires constituaient naguère le type de bâtiment le plus répandu en Europe, aux Etats-Unis, et au Canada. Aujourd'hui encore, en Egypte, en Chine, en Indonésie et au Chili, des voiliers servent habituellement à la pêche et au transport du fret.
Aux Etats-Unis, les seuls survivants des anciens voiliers sont les skipjacks (sloops) de la baie de Cheasapeake (ci-contre) encore utilisés pour le ramassage des huîtres.

© Eric Poggenpohl

luxe ou utilitaire, ancienne ou moderne, chacun est aujourd'hui assuré de trouver une organisation représentative.

Le renouveau des bateaux en bois — cette idée qui semblait absurde dans les années 60 à l'époque où ce type d'embarcation était jeté au rebut ou vendu à un prix dérisoire — constitue un authentique phénomène. La raison en est claire et ce livre en porte témoignage : leur beauté est flagrante. En cette fin de siècle marquée par une civilisation planétaire mêlant les cultures anciennes et les informations les plus sophistiquées, les bateaux en bois représentent un élément de vérité. Ils représentent le fruit d'une tradition de la main et de l'œil.

Avec ses commentaires sur les sculptures du *Britannia*, le yacht de la Couronne britannique, l'Anglais Uffa Fox, célèbre architecte naval et constructeur de navires en bois, nous en révèle le sens : « *On voit que le sculpteur amoureux de son œuvre y passa un temps que nous ne pouvons guère imaginer. Habitués à présent aux objets stéréotypés produits à la chaîne par des machines, nous avons oublié l'une des plus grande joies de l'existence, celle du travail paisible, lorsque seuls la main et le cerveau étaient occupés.* »

L'HISTOIRE MILLENAIRE
DES BATEAUX EN BOIS

L'archéologie montre que les premiers navires assemblés en bois furent créés dans l'Egypte antique. Cependant les pirogues creusées dans des troncs, les radeaux de planches grossières liées entre elles ou les embarcations munies d'un balancier pour équilibrer une coque centrale, remontent à des temps immémoriaux

Pages précédentes : une vue du Center for Wooden Boats de Seattle où l'on peut toujours louer une embarcation en bois pour une promenade sur le Lake Union. Ce centre qui vend également des répliques traditionnelles, a joué un rôle important aux Etats-Unis pour remettre au goût du jour les bateaux en bois.
Page ci-contre : une réplique de baleinière Tancook récemment sortie de l'Apprenticeshop de Lance Lee à Rockport dans le Maine. L'apprenticeshop est une importante école d'apprentissage de la charpente navale et des techniques annexes.

SI L'ON CONSIDÈRE QU'UN BATEAU N'EST QU'UNE SIMPLE INVENTION permettant de dériver tranquillement au fil de l'eau, on ne peut qu'être frappé par l'extraordinaire diversité des formes et la sophistication des méthodes mises en jeu.

En remontant aux origines, on ne peut éviter le cliché de l'homme préhistorique, à cheval sur un tronc d'arbre et pagayant de ses mains pour traverser un cours d'eau. A l'aube des temps, une telle image est certes plausible ; mais les historiens et les spécialistes de la construction navale ne manquent pas de faire remarquer qu'un tronc d'arbre présentant un équilibre particulièrement précaire, les premières expériences vraisemblablement désastreuses ont dû rapidement conduire à l'amélioration de cette invention.

En Mésopotamie, quelques œuvres d'art montrent des soldats traversant des fleuves, accrochés à des peaux d'animaux cousues et gonflées comme des bouées. Aux Indes, les femmes procédaient de la même façon en utilisant d'immenses vases d'argile. En Crète, on conserve le dessin d'une prêtresse en équilibre sur un radeau fait de bottes de roseaux. Autant d'images qui prouvent que, dès le début de l'Humanité, tout objet flottant fut utilisé pour se maintenir à flot. Or, comme il suffit de définir une prise et un angle d'attaque pour créer un outil à partir d'un simple silex, un bateau n'est rien d'autre qu'un flotteur doté d'une structure, et, en ce sens, il est clair que cette invention date de la préhistoire.

Sur cette gravure ancienne, Espagnols et Indiens traversent avec difficulté le lac Titicaca au moyen d'un radeau de balsa, tandis que sur la photographie ci-contre, un plaisancier s'amuse dans un petit canot au fil de l'eau. Malgré les différences apparentes, on constate une fonction identique et une même simplicité.

En Europe, 7 500 ans av. J.-C., il existait déjà des pirogues munies de rames et, en Méditerranée orientale, on a pu prouver l'existence d'un commerce maritime dès le dixième millénaire avant notre ère.

Les bateaux les plus primitifs sont la pirogue — simple tronc évidé, que l'on retrouve dans de très nombreuses cultures —, les embarcations dérivant directement des outres gonflées — faites ultérieurement de peaux tendues sur une structure en vannerie comme on en voyait autrefois en Irlande, au pays de Galles et chez les Esquimaux —, et enfin, les radeaux de bottes de roseaux liées ensemble de manière à présenter deux extrémités effilées et un renflement central. Ces derniers sont encore en usage en Afrique de l'est, en Bolivie et sur le lac Titicaca au Pérou.

L'embarcation la plus primitive est sans doute le simple radeau constitué de bottes de roseaux liées. Certains sont toujours en usage aujourd'hui sur le lac Titicaca et en Afrique de l'Est.

LES PREMIERS BATEAUX EN BOIS

A côté des pirogues creusées dans des troncs, des radeaux de planches grossières liées entre elles, ou des embarcations munies d'un balancier pour équilibrer une coque centrale qui remontent tous à un temps immémorial, l'archéologie a montré que les premiers navires assemblés en bois ont été créés en Egypte.

Les Egyptiens furent-ils les premiers constructeurs de navires ? On ne peut l'affirmer avec certitude, mais de nombreux témoignages archéologiques montrent que des embarcations en bois naviguaient déjà sur le Nil il y a cinq mille ans.

Habituellement, ces bateaux étaient construits en acacia, un bois qui ne se débite qu'en fragments de petite taille. Hérodote, le grand historien grec du Vème siècle, en a laissé une description précise :

L'image ci-dessous, gravée d'après une peinture trouvée dans une tombe égyptienne, représente une ancienne barque du Nil. Bien que construite en bois, cette embarcation en forme de feuille, imite encore la forme primitive des radeaux de roseaux.

La gravure de droite prétend représenter le pont de bateaux édifié par Xerxès pour permettre aux Perses de traverser l'Hellespont. En fait, cette illustration sans grande fidélité historique, montre un type de navire méditerranéen très répandu au Moyen-Age. Ces barques rondes et trapues, conçues pour transporter du fret, témoignent d'une importante évolution depuis les premières embarcations égyptiennes.

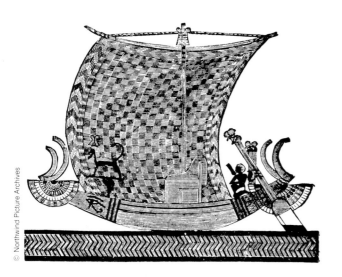

« *De cet acacia, ils coupent des planches longues de deux coudées, et les assemblent à la manière des briques. Pour consolider cet assemblage et lui donner la forme d'un vaisseau, ils les traversent de longues et fortes chevilles qui les attachent les unes aux autres. Lorsqu'ils les ont ainsi ajustées en forme de navire, ils façonnent le pont au moyen de poutres transversales ; ils ne font point de côtes pour soutenir les flancs, mais intérieurement ils calfatent les jointures avec du papyrus. Ils n'y adaptent qu'un gouvernail qui traverse la quille. Le mât est d'acacia et les voiles sont de papyrus.* » (Traduction P.Giguet)

Hérodote insiste à juste raison sur la force de l'assemblage, principale caractéristique de ces navires. Pour assurer l'étanchéité en l'absence de côtes, les divers éléments du bordé devaient être

© G. Felton

La technique de construction des bateaux en bois n'a guère changé depuis un millénaire. Désormais, ils sont construits de l'intérieur vers l'extérieur — c'est à dire en partant d'un squelette que l'on revêt ensuite d'un bordé —, mais la technique du charpentier taillant à la main des éléments destinés à s'assembler avec la plus grande précision, est restée immuable. On assiste ici à la construction de la structure du Californian, *une copie d'un vaisseau du XIXème siècle.*

41

Cette maquette de barque égyptienne, trouvée dans la tombe de Toutânkhamon, date de plus de 3 300 ans. Le plus vieux navire connu a été retrouvé au pied de la pyramide de Chéops ; il mesure 42,60 mètres.

fermement aboutés par tenons et mortaises et chevillés aux extrémités. Le bateau de petite taille que décrit Hérodote, était sans doute typique de la flotte du Nil.

Mais il existait aussi des navires de grande taille, comme ce vaisseau en forme de feuille, long de 43 mètres pour un maître-bau de 6 mètres, découvert enfoui au pied de la pyramide de Chéops. Ce navire qui date d'environ 2 500 ans av. J.-C., était composé de 1224 éléments. Il mélangeait de nombreuses essences, comme le charme-houblon d'Asie Mineure, l'acacia et le sycomore d'Egypte, et le cèdre du Liban débité en planches de plus de vingt mètres. Le bordage présentait un système d'entailles, de mortaises et de tenons, pour assurer l'assemblage. A l'intérieur de la coque un réseau complexe de cordages liait entre eux les éléments du bordé et permettait de les

fixer aux seize membrures. Enfin, quarante-six traverses ou barrots soutenaient le bordé de pont chevillé par dessus.

Ce bateau « de Chéops » est le plus ancien navire conservé, mais on soupçonne qu'il était déjà d'un type ancien à son époque, puisqu'on a retrouvé des gravures représentant des vaisseaux semblables 3 000 ans avant notre ère.

Fruit d'une construction beaucoup plus complexe que celle décrite par Hérodote deux millénaires plus tard, la barque de Chéops emploie de nombreuses solutions techniques encore fréquemment utilisées dans le monde moderne. L'assemblage par un système de liens se retrouve communément aux Indes et en Orient, et l'emboîtage par tenon et mortaise se pratique toujours en Méditerranée. Mais le bateau plus modeste que décrit l'historien grec, a aussi ses descendants directs dans certaines

Ces deux images montrent les détails d'un guideboat des Adirondack construit au début du siècle par W.A. Martin de Saranac Lake dans l'Etat de New York.

Malgré son âge, cette barque témoigne de techniques très récentes comme les fines membrures cintrées à la vapeur ou le superbe bordé de pont en lattes clouées.

44

embarcations très simples dont les éléments sont tenus par un système rappelant les chevilles de l'ancien temps.

Dès le troisième millénaire avant Jésus-Christ, les charpentiers égyptiens utilisaient la hache, l'herminette, le burin, le ciseau, le rabot, le maillet ainsi que des scies rudimentaires pour obtenir des résultats admirables comparés à ceux donnés par les outils de précision modernes. Les Egyptiens furent des artisans particulièrement habiles, car leurs navires étaient démunis de structure interne. (Les bateaux construits de l'intérieur à partir d'un squelette équipé ensuite de bordages, ne sont apparus en effet qu'aux environs de l'An Mille). De plus, le nombre élevé des éléments et le profil effilé de ces embarcations dessinées à l'imitation des radeaux de roseaux, ne faisait qu'accroître la difficulté.

LES INDES ET L'ORIENT

Décrivant les embarcations de l'Inde, Neil Hollander, le spécialiste des navires utilitaires du Tiers Monde, écrit : « *La plupart des bateaux naviguant sur les rivières du Bengladesh paraissent s'inspirer directement des peintures égyptiennes. L'origine de cette ressemblance remonte sans doute à plus de quatre mille ans, lorsque les navires de Pharaon appareillèrent dans la Mer Rouge à destination de l'Orient.* » Ainsi le *pallar* se présente comme un barque en forme de feuille, dirigée au moyen d'un long aviron que le barreur manie grâce à un levier. Un dessin retrouvé sur un tesson de poterie dans la vallée de l'Indus, montre le même type de barre accolé à une godille.

Les historiens navals qui s'accordent pour reconnaître de grandes similitudes dans les techniques utilisées en Egypte, en Mésopotamie et aux Indes, expliquent ces ressemblances par les contacts fréquents de ces peuples dans le golfe Persique ou sur les rives de la mer Rouge. Il n'existe pas de preuve historique formelle ; mais les bateaux encore en usage dans ces régions, sont construits de manière identique sans structure interne, à partir de « *nombreuses planches courtes assemblées à la manière des briques* ». La plupart, comme le pallar du Bengladesh, sont faits de planches de bordage clouées ou agrafées entre elles, mais certains utilisent encore des ligatures de cordage comme sur la barque de Chéops. En effet, en Egypte, la technique d'emboîtage par tenon et mortaise ne s'est véritablement répandue qu'au Moyen Empire, vers 1 800 av. J.-C., lorsque l'art des charpentiers a permis d'abandonner les méthodes ancestrales.

Aux Indes, à Ceylan, en Indonésie et sur les rives de l'Insulinde, l'assemblage par fibres végétales tressées est encore souvent préféré à la technique de la queue d'aronde et des tenons. En Méditerranée, à l'époque des Croisades, les Arabes utilisaient également la technique du bordé ligaturé.

Comment expliquer que tous ces peuples aient refusé d'adopter l'assemblage égyptien par emboîtage et tenons ? Les raisons proposées sont diverses. On parle du poids d'une tradition millénaire, on argue du fait que de nombreux peuples ne disposaient pas d'outils en bronze de qualité comme les charpentiers d'Egypte, et on estime surtout que le percement des trous dans les bordés pour les ligaturer ensemble, représente un travail beaucoup plus facile. C'est ainsi qu'on explique l'adoption presque universelle de cette technique, comme en Scandinavie où elle semble avoir été utilisée dès l'an 1500 av. J.-C.

Passée la phase des pirogues rudimentaires sur lesquelles on est mal renseigné, les nombreux navires qui sillonnèrent la Méditerranée dans l'Antiquité s'inspirèrent des modèles égyptiens. Mais au troisième millénaire avant Jésus-Christ, la civilisation Egéenne employait encore des pirogues monoxyles en pin. Certaines, comme les barques de guerre, atteignaient parfois une vingtaine de

Construit en 1931 en Ecosse, au célèbre chantier de Fife, l'Altaïr *fut originellement créé pour le voyage de noces d'un jeune officier et de sa femme dans les mers du sud.*

*Avec ses 32 mètres, c'est actuellement une des plus grandes goélettes du monde. Basé en Méditerranée depuis 1947, l'*Altaïr *part en croisière tous les étés en compagnie de nombreux autres yachts de grand luxe entièrement remis à neuf.*

Ces bateaux en construction dans un chantier naval du Pacifique, illustrent des techniques inchangées depuis des siècles.
Telle une peau, le bordé n'est ajusté qu'en dernier à la structure interne constituée de la quille, des varangues et des membrures.

© Neil Rabinowitz

mètres et n'étaient pas sans rappeler les immenses catamarans des Maoris de Nouvelle-Zélande.

Voila qui semble donner raison à Sir Walter Raleigh (1552-1618), le grand navigateur anglais. Selon lui, « *Quelque soit leur isolement, toutes les Nations, également composées de créatures intelligentes qui partagent les mêmes facultés d'imagination et d'invention, aboutissent à des créations identiques en fonction de leurs moyens spécifiques et des matériaux dont elles disposent.* » La fonction crée la forme. Les bateaux du monde entier sont donc tous effilés pour fendre les eaux, renflés en leur centre pour porter la cargaison et assurer la stabilité, et les coques agencées de manière étanche.

Ailleurs qu'en l'Egypte, les plus vieux vestiges de bateaux datent du XIVème siècle av. J.-C..

Chêne blanc pour la quille, les varangues et les membrures, acajou pour les bordages et lattes de teck pour le pont : traditionnellement, chaque espèce de bois est réservée à un usage précis.

Mais on peut gager qu'entretemps les modes de construction n'eurent guère le temps d'évoluer. Un bateau phénicien de 15 mètres, récemment retrouvé au large de la Turquie et âgé de 3 300 ans, montre un bordé de pin assemblé par un système de tenons et de mortaises et chevillé au moyen de goujons de bois dur. On retrouve donc la même technique qu'en Egypte.

A l'époque, tous les bateaux naviguant en Méditerranée orientale et vraisemblablement aux Indes, en Arabie et en Mésopotamie, devaient être construits de la même manière. Un document égyptien du XIVème siècle av. J.-C., montre ainsi un navire phénicien de haute mer venant décharger le cuivre, l'étain, l'ivoire, le verre, l'or, l'argent, les armes et les poteries, dont ces peuples faisaient commerce.

Photographiés aux Açores, un imposant chalutier et une petite chaloupe, témoignent d'un type de construction traditionnelle identique avec leurs formes arrondies taillées à la scie et non cintrées, leurs bordages en pin et leur bois peints au lieu d'être vernis.

© Eric Poggenpohl

© Eric Poggenpohl

Mais d'autres civilisations ont laissé moins de traces, comme ces mystérieux Peuples de la Mer, vraisemblablement venus de la mer Egée, qui ravagèrent la Méditerranée orientale au XIIIème siècle av. J.-C. avant d'être écrasés par Ramsès ; dans le delta du Nil en 1154 av. J.-C. De même, au Xème siècle av. J.-C., le roi Salomon fit bâtir une flotte pour livrer bataille à Hiram, le roi phénicien de Tyr, dont les navires faisaient commerce jusqu'en Espagne.

Dans l'*Odyssée*, Homère ; fournit de précieux renseignements sur la construction navale en mettant en scène Ulysse construisant une barque pour fuir l'île où Calypso le retint prisonnier :

« Ulysse alors coupa les poutres : il eut vite achevé.

Il abattit vingt troncs, les dégrossit à coups de hache,

les plana savamment et les équarrit au cordeau.

Calypso cependant avait apporté des tarières ;

il put forer toutes les poutres et les joignit ensemble

au moyen de chevilles et d'autres assemblages.

Pour dresser le gaillard, il bâtit un bordage étanche

de poutrelles, parfait par des voliges en longueur.

Il disposa le mât et l'antenne du mât,

puis fabriqua la barre, afin de pouvoir gouverner.

Enfin, d'un bastingage en claies d'osier il protégea

son radeau de la houle, et le lesta d'une charge de bois.

Calypso cependant avait apporté de l'étoffe

pour en faire une voile : il s'y montra non moins habile.

Quand il lui eut fixé drisses, ralingues et écoute,

enfin, sur des rouleaux, il mit le radeau à la mer.

(Traduction Philippe Jaccottet.)

Le bordage à carvelle qui donne un aspect extérieur lisse grâce aux planches emboîtées bord à bord et soigneusement calfatées, se généralisa alors de la mer Rouge à l'Adriatique. Les Romains s'inspirèrent ensuite des modèles phéniciens et grecs, sans doute au contact des Carthaginois, comme le fait croire l'anecdote de cette galère punique qui, en venant s'échouer sur les côtes grecques, révéla le procédé de sa construction.

Alors que le bordage à carvelle est clairement attesté, les historiens navals continuent à s'opposer quant à l'existence d'une charpente interne sur ces navires. Selon l'un d'eux : « *Il semble vraisemblable qu'une construction à partir d'un ''squelette'', de style bordé sur membrure, se soit développée avant-même l'apogée de la Grèce.* » Cependant d'autres archéologues nient cette hypothèse : « *Du troisième millénaire avant notre ère jusque vers l'an 1500, tous les navires furent construits selon la technique de la ''coquille'', c'est à dire en commençant par assembler les bordés pour insérer ensuite la charpente interne en adaptant sa forme à celle du bordage.* »

Selon l'historien grec Thucydide qui vivait au Vème siècle av. J.-C., la structure de la quille et des membrures fut inventée à son époque par les Corinthiens. Certains archéologues croient même retrouver des traces antérieures de construction en « squelette » (membrures puis bordé), tandis que d'autres contestent l'emploi de cette technique avant la Renaissance. La vérité « *se situe certainement entre les deux* », comme l'affirme Basil Greenhill, l'ancien directeur du National Maritime Museum de Londres.

Cette fresque retrouvée dans l'île grecque de Santorin en mer Egée, montre une élégante galère égyptienne. Malgré d'évidentes différences, la petite chaloupe méditerranéenne photographiée ci-dessous participe de la même tradition. Sur les deux embarcations, on retrouve le même type de bordage ainsi qu'une proue et une poupe surélevées.

A l'époque d'Hérodote, les trirèmes grecques étaient de grands vaisseaux d'environ quarante mètres de long, transportant 170 rameurs répartis sur trois niveaux. Naviguant à la voile et à la rame, ces navires destinés à éperonner et à couler les flottes adverses, transportaient en outre de nombreuses troupes. Même si on ignore si la structure était posée avant ou après le bordé, il est évident que de tels vaisseaux étaient dotés d'une charpente interne.

L'EUROPE SEPTENTRIONALE

En Europe du nord, à la même époque, les bateaux étaient construits d'une manière assez différente (même si on constate la même interrogation quant à la primauté donnée au bordé ou aux membrures, selon les techniques de la « coquille » ou du « squelette »). Ces bateaux que l'on décrit comme des lointains descendants des premières pirogues surélevées, utilisaient en effet un système de planches de bordé posées en recouvrement, selon la technique dite du « bordé à clin ». Un tel procédé paraît si simple qu'on s'étonne de ne le voir employé qu'en Europe du nord, à l'exception, il est vrai, de quelques embarcations du Gange et de ses affluents.

Les plus anciens navires de ce type datent d'environ 2000 ans av. J.-C. Au début, les bordés étaient sans doute seulement ligaturés par des liens, car le métal était rare et l'emploi des goujons ou des chevilles de bois non encore généralisé. On utilisait donc des liens faits de peaux, de racines et de brindilles tressées. L'intérieur du bordé comportait des taquets taillés en relief qui permettaient de lier les planches à la structure interne généralement faite de branches d'arbres courbées naturellement.

Un navire découvert en Angleterre en 1938 dans une tourbière, montre que vers l'an 800 av.

Les yachts modernes construits selon la tradition, conservent un beaupré et une ligne d'étrave identiques à celles des grands clippers du siècle dernier. La silhouette admirable de ces clippers aux formes élancées, fut souvent imitée par les premiers yachts, les embarcations à moteur et même les bateaux de pêche.

Ci-contre, *le Kaiulani est une goélette construite en 1980 en Californie. On remarque la barre, sortie des fonderies de Lunenberg en Nouvelle-Ecosse, qui ajoute une ultime touche traditionnelle.*

Egalement imité des anciens clippers, le Whitehawk est un des plus beaux yachts récemment construits. Mélange parfait de modernisme et de tradition, il utilise les derniers perfectionnements en matière d'accastillage. La coque est en bois moulé, c'est à dire constituée de plusieurs plis de bois agrafés et collés

© Dan Nerney

© Neil Rabinowitz

J.-C., on utilisait d'épaisses planches non pas bordées à clin, mais embrévées dans une sorte de rainure grossière, liées entre elles, colmatées avec de la mousse et habillées à l'intérieur de la coque d'un tasseau couvre-joint en chêne. Les autres éléments, comme la quille, étaient posés par assemblage et les membrures étaient liées à des taquets en saillie sur le bordé. Malgré son caractère primitif, ce bâtiment de douze mètres montre un type de construction que l'on retrouve encore en Scandinavie à la seule différence des attaches aujourd'hui métalliques.

Récemment exhumé en Norvège, un bateau de 16 mètres daté de 350/300 av. J.-C., armé pour une douzaine de rameurs, témoigne d'une architecture beaucoup plus sophistiquée. Au moyen de boyaux tressés, le constructeur avait lié ensemble sept pièces de bois : une quille plate, deux bordés à clin de chaque côté et deux planches de plat-bord. L'intérieur comportait vingt membrures en noisetier arimées aux taquets d'un bordé de pin aussi fin et élégant que celui d'une barque moderne.

Retrouvée dans le nord de l'Allemagne, une galère de 23 mètres datant de l'an 400 av. J.-C. environ, comportait quant à elle une quille plate et cinq planches bordées à clin sur chaque flanc. Le bordage était riveté par de clous en fer sur des rondelles identiques aux « boudins » qu'utilisent les charpentiers modernes. On comptait dix-neuf membrures en chêne ligaturées aux taquets du bordé.

En Angleterre, dans un tumulus funéraire, on a retrouvé l'empreinte d'un vaisseau viking de 27 mètres de long datant des environs de l'an 600. Le navire présentait un bordé d'environ 2,5 centimètres d'épaisseur, vraisemblablement en chêne, soutenu par vingt-six fortes membrures espacées d'un mètre. L'ensemble était assemblé au moyen de centaines de rivets, de tire-fond et de goujons métalliques.

© Benjamin Mendlowitz

Construites à l'imitation des vaisseaux qui naviguaient sur l'Atlantique de la fin du siècle dernier jusqu'aux années cinquante, les goélettes de pêche constituent un type de yacht traditionnel. Le Phra Lwang conçu par le légendaire John Alden, est utilisé aussi bien en course qu'en croisière.

Avant la vogue des yachts, et même des grands clippers transatlantiques, on construisait déjà, à Baltimore vers 1830/1840, des clippers de vitesse dont les lignes inspirèrent de nombreux navires ultérieurs.
Avec son gréement et sa ligne imitée des clippers de Baltimore, le California est une réplique du Joe Lane, utilisé en 1849 par le service des douanes américaines.

Ces navires vikings sont de très beaux exemples de construction navale ; ils ont inspiré toute la tradition de l'Europe du nord. Ainsi le vaisseau d'Oseberg, un 21 mètres à voile et à rames, retrouvé dans le tumulus funéraire d'une reine saxonne de l'an 800, suscita l'enthousiasme du constructeur et historien Phil Bolger :

« *Les madriers étaient disposés avec un tel ordre que deux poutres ne pouvaient jamais se joindre rigidement à contrefil. Ainsi, au contact de l'eau ou en séchant, le bois était libre de jouer, sans presser sur les fixations ou sur la texture des planches. Seules les pièces de membrures touchant le bordé croisaient leurs fibres, mais en ce cas, la liaison était assurée par des ligatures. Aux extrémités, la courbe naturelle du bordé se relevait de telle manière que les fibres du bois affleuraient tangentiellement le long de l'étambot et de l'étrave.*
Ces artisans exigeants ne travaillaient le bois qu'à la hache et à l'herminette afin de préserver le sens des fibres et d'éviter de les déchiqueter à la scie comme cela se faisait souvent dans le sud. »

Orné de somptueuses sculptures, le vaisseau d'Oseberg présente un merveilleux galbé qui, de la proue à la poupe, s'achève en une magnifique spirale.

Parmi les bateaux antiques, il faut également mentionner les bâtiments à fond plat dont on retrouvé des vestiges dans la Tamise. Jules César débarquant en Grande-Bretagne en 55 av. J.-C., fut frappé par la robustesse des navires celtes qu'il décrivit ainsi dans la *Guerre des Gaules* :

« *Leurs coques sont plus plates que celles de nos navires, les rendant plus aptes à naviguer dans les eaux peu profondes ou à marée basse. La proue est presque verticale et, comme la poupe, de grande taille pour mieux affronter les tempêtes. Entièrement bâtis en chêne pour résister à*

© Nick Rogers

En envahissant les îles britanniques, les Angles, les Saxons et plus tard les Vikings, y ont importé leurs traditions navales. Avec un bordé à clin, des dames de nage remontant comme des cornes et une étrave recourbée, ces barques de la Tamise sont restées très proches des bateaux retrouvés dans les tumuli funéraires des Vikings.

© Nick Rogers

tous les chocs, ces navires possèdent des barrots taillés dans des poutres de trente centimètres et maintenus en place par des rivets gros comme le pouce. Les ancres sont fixées par des chaînes et non des cordages. Enfin les voiles sont en peaux et en cuir, soit par pénurie de toile ou, comme cela semble plus vraisemblable, parce qu'on craint qu'elles ne soient pas aptes à contenir la force du vent et à mouvoir d'aussi pesants vaisseaux. »

Ces robustes navires, relativement plats et utilisant force rivets métalliques, ressemblaient aux jonques et aux sampans chinois dont l'architecture repose sur de lourds madriers tenus en place par un cloisonnement interne.

Ces navires épais aux formes anguleuses et à ras de carène se retrouvent dans le monde entier. C'est le cas des chalands, des barges, des bachots, des péniches et de quelques embarcations plus gracieuses comme les gondoles vénitiennes et les doris de Terre-Neuve.

Les pinasses du golfe de Gascogne, les barques plates des pêcheurs de la Loire, les grands house-boats du Cachemire, ou les péniches qui transportent le fret sur les principaux fleuves européens, dérivent tous d'une même conception.

Dans son ouvrage *The Dory Book*, John Gardner explique : « *Selon les spécialistes, ces bateaux à fond plat, à la proue et à la poupe quasiment identiques, se trouvaient autrefois partout de l'Egypte au Danemark.* » Il démontre ainsi que les doris de Terre-Neuve s'inspiraient des bateaux des premiers trappeurs canadiens dont on retrouve le modèle dans la construction navale du Moyen-Age, perpétuant elle-même des modèles gaulois.

Depuis mille ans, la construction navale n'a cessé de perfectionner ses méthodes en incorporant des procédés nouveaux. La technique du « squelette » — une charpente initiale suivie d'un bordé — est maintenant utilisée dans le monde entier. Cependant, pour les embarcations légères, les membrures en bois fin, courbées à la vapeur, ont remplacé depuis le XVIIIème siècle les branches d'arbres utilisées au mieux de leur courbe naturelle. De même, les colles étanches et fortement adhésives permettent désormais de construire des barques d'une pièce à partir de fines lames ou de placages de bois.

Aujourd'hui, les bateaux en bois reflètent toutes les techniques et traditions du passé. En Méditerranée, les utilitaires — caïques de Grèce et de Turquie, diesels de pêche du Portugal —

Au chantier naval de Concordia à South Darmouth, dans le Massachusetts, Leo Telesmanick que l'on voit ici occupé à construire un Beetle Cat, est, depuis les années trente, le grand spécialiste des bateaux en bois. Comme des centaines d'autres artisans, il utilise toujours les méthodes et les outils traditionnels.

présentent le bordé lisse, les joints calfatés et la forte membrure, qui caractérisaient déjà les navires de commerce phéniciens et les galères romaines. Les petits bateaux côtiers du nord — chaloupes anglaises, barques de pêche norvégiennes ou polonaises — conservent le bordé à clin riveté, terminé par une étrave et un étambot presque verticaux des navires vikings. Et les bateaux à fond plat — doris, gondoles de Venise ou utilitaires de la baie de Chesapeake — rappellent les vestiges celtiques exhumés par les archéologues.

Les navires présentés dans ce livre utilisent la plupart des méthodes traditionnelles d'assemblage, même si les constructeurs amateurs tendent aujourd'hui à privilégier les techniques du XIXème siècle. En effet, on a conservé tous les plans et modes de construction de cette époque qui marqua, dans l'histoire des bateaux en bois, l'apogée des techniques grâce à l'emploi du métal (pour les outils et les assemblages), la disponibilité des bois et surtout l'organisation d'un artisanat compétent en ateliers et écoles.

Les performances et la grâce de ce ravissant sloop de 1920, restent encore insurpassées à ce jour. Grâce au renouveau de la mode des bateaux en bois, les petits chantiers navals d'artisans continuent régulièrement à construire de tels modèles selon les méthodes traditionnelles.

LA CONSTRUCTION MODERNE

A la fin des années soixante-dix, à la faveur du regain des bateaux en bois, Paul Lipke prit son bâton de pèlerin et entreprit de faire la tournée de tous les chantiers navals américains utilisant encore les techniques traditionnelles. En dix-huit mois, il fit presque deux fois le tour de la terre pour visiter trois mille chantiers du Canada à la Louisiane, du Michigan au Maine. Après en avoir sélectionné cent cinquante, il publia en 1980 son ouvrage *Plank on Frame*, édité par l'International Marine Publishing de Camden (Maine), qui constitue la meilleure référence en ce domaine, même si depuis cette date certains chantiers ont fermé leurs portes et si d'autres entreprises se sont récemment créées. En dehors de cet ouvrage, le magazine *WoodenBoat* demeure la meilleure source d'information grâce à ses nombreuses petites annonces.

Les bateaux en bois, fabriqués à la main, souvent en très petite production, constituent-ils un luxe ?

Etonnamment, les prix soutiennent la comparaison. Face à leurs concurrents en résine, fibre de verre ou aluminium, ils restent compétitifs. Un bâtiment de luxe, travaillé avec les meilleures essences de chêne, de cèdre, d'acajou ou de teck, et présentant une véritable qualité d'ébénisterie, coûte environ trois fois plus cher que le même modèle de base en matériau synthétique.

Mais les bâtiments utilitaires, barques à rames, voiliers, chalutiers, coques bordées à clin, ou utilitaires de style yacht, peuvent être construits pour un coût inférieur si on évite les finitions et les gréements particulièrement onéreux. A équipement identique, certains bâtiments usuels, croiseurs à moteur diesel et petits voiliers de type familial, représentent le même prix, quelque soit le mode de construction. Enfin certains bateaux de vitesse, répliques en acajou des *runabouts* des années vingt, sont parfois plus économiques que les équivalents modernes.

Certes il est difficile de comparer esthétiquement un canot en acajou avec un hors-bord profilé en fibre de verre, mais à performance égale, les prix, quant à eux, soutiennent la comparaison. Sans doute, faut-il y voir la conséquence d'une certaine austérité des artisans, face aux procédés industriels de fabrication et de commercialisation modernes qui ont tendance à multiplier les intermédiaires et à grever les prix.

L'acquisition d'un bateau en bois est-il un investissement valable ?

Oui, répondent ceux qui en ont fait l'expérience. Sans parler de leur histoire millénaire, sans penser aux comparaisons de prix, sans même évoquer la nécessité d'un entretien permanent, ces heureux propriétaires savent tous admirer l'intelligence, l'esthétique ou le fonctionnalisme de leur bateau.

En un mot, ils pensent en termes de beauté et de vérité.

LES BATEAUX À RAMES

L'élégance des bateaux
en bois se manifeste
parfois dans la beauté
d'un fini, d'une peinture
ou d'un vernis, ou dans
la courbe et le galbe
d'un bois s'intégrant à
un ensemble. Certains
bateaux s'apprécient
pour leur délicatesse,
d'autres pour leur
force brute.
Mais tous participent du
même classicisme
fonctionnel.

Gracieux et légers, les guideboats des Adirondacks (pages 64-65) sont conçus pour naviguer sans fatigue durant de longues parties de pêche sur les eaux calmes des lacs.

Ci-contre, ces barques — parmi lesquelles on reconnaît un canot en cèdre et un peapod — ont été photographiées au Center for Wooden Boats de Seattle.

LA SIMPLICITÉ EST LA PRINCIPALE QUALITÉ DES BATEAUX À RAMES OU À PAGAIES. Economiques, faciles à entretenir et à stocker hors saison, ils se transportent aisément sur une galerie ou une remorque. Disponibilité, simplicité et satisfaction, sont les maîtres-mots de ces embarcations qui ne s'embarrassent pas de complications motorisées et ne requièrent d'autre carburant qu'un peu de muscles. Nul besoin de se préoccuper d'un difficile maniement des voiles : les bateaux à rames représentent la liberté immédiate.

Phil Spectre, évoquant récemment dans *Nautical Quarterly* son expérience des bateaux en bois, faisait remonter cette passion à son enfance : « *Pour moi, depuis cette époque, les canots ont toujours été symboles de liberté. Descendre jusqu'au port ou au rivage, s'asseoir sur le banc de rame, placer les dames de nage, glisser les avirons, larguer l'amarre, souquer ferme : et voilà la liberté ! »*

LA FORME DÉCOULE DE LA FONCTION

Les barques en bois sont souvent d'une grande élégance et, même si — comme les modestes embarcations de Peter Spectre — elles n'ont ni la grâce d'un guideboat des Adirondacks ni la finesse d'un canot de course, l'honnêteté et l'endurance à accomplir leurs tâches restent leurs principales qualités.

Ce guideboat des Adirondack (ci-dessous) et cet
aviron moderne (ci-contre) ont à peu près le
même poids pour des dimensions identiques.
Mais le premier est construit avec des planches
de cèdres assemblées sur de fines membrures
cintrées à la vapeur alors que le second , un
Appledore Pod construit par Martin Marine à
Kittery Point dans le Maine, utilise un placage
de cèdre moulé.

© Allan Weitz

© Allan Weitz

Lorsque Louis Sullivan lança son mot d'ordre de « *forme découlant de la fonction* », il songeait à ses propres fabrications ; pourtant ce principe, si souvent repris en matière de design, s'applique à toutes les créations de la nature. Cependant les bateaux illustrent particulièrement bien ce propos. L'élégance s'y manifeste parfois dans la beauté d'un fini, d'une peinture ou d'un vernis, ou dans la courbe et le galbe d'un bois s'intégrant à un ensemble (La courbure des bois détermine souvent la forme du navire). Certains, comme les canots de course en cèdre, sont appréciés pour leur délicatesse, d'autres, tels les peapods du Maine ou les barques de mer de Jersey, pour leur force brute. Mais tous participent du même classicisme fonctionnel.

Peu ou prou, la forme de ces embarcations est liée à l'homme qui leur communique sa force motrice. Les créations les plus rapides, comme les canots à huit rangs de nage utilisées dans les épreuves entre universités, mesurent 17,5 mètres de long pour 2 mètres de large et ont un poids inférieur au quintal. En 1829, le premier huit d'Oxford mesurait 14 mètres sur 1,2 mètre pour un déplacement d'une tonne.

Depuis cette date, les techniques nouvelles ont permis d'alléger la construction, mais les principes de base — longue ligne de flottaison, étroitesse et poids réduit au maximum — sont restés identiques.

Dans *Seamanlike Sense in Powercraft*, Uffa Fox, commentant aussi bien ces huit de course que le vaisseau viking de Gokstad, les gondoles de Venise ou les kayaks esquimaux, écrivait :

« *Ces bateaux dix fois plus longs que larges, ont une silhouette effilée et tendue. Nous constatons donc que les développements furent les mêmes en Norvège, en Italie, au Grœnland et en Angleterre. Une grande longueur réduisant au minimum l'importance de la vague d'étrave et une étroitesse assurant une friction infime, sont en effet les deux conditions de la célérité d'un navire.* »

© Allan Weitz

Cette barque de Jersey dont le bordage se reflète dans le miroir de l'eau, a été construite à l'Apprenticeshop du Maine il y a une douzaine d'années. Au siècle dernier, les pêcheurs des côtes de Jersey utilisaient des modèles semblables. De nos jours, les sauveteurs modernes s'en servent encore régulièrement.

Fox aurait pu ajouter que ces mêmes principes s'appliquent aussi aux destroyers ou aux paquebots modernes, énormes masses dont la vitesse résulte autant de la puissance des moteurs que de la longue ligne de flottaison

La plupart des bateaux présentés dans ce chapitre, possédent cette silhouette caractéristique, mais d'autres ont sacrifié leur légèreté à la nécessité du transport de charge lourdes. Enfin, quelques uns ont aussi renoncé à la longueur, synonyme de poids, de charpente interne complexe ou de bordés trop longs pour la taille des bois locaux, comme à l'époque des Egyptiens.

Certains canots ou kayaks sont légers et courts pour permettre un portage facile à terre. En revanche, les peapods et les doris sont robustes, fortement ventrus et construits sans considération de poids, car, le plus souvent, on se contente d'échouer sur le rivage ces navires de grande largeur, faits pour transporter de lourdes charges dans les meilleures conditions de stabilité.

Les peapods étaient conçus pour la pêche le long des côtes du Maine, avec un seul homme hissant à bord les casiers de langoustes. Les doris servaient à la pêche au chalut en pleine mer. Transportés sur des goélettes, ces doris étaient mis à l'eau avec deux hommes à bord pour remonter les filets et rentrer à terre chargés à ras bord. Les barques côtières de Jersey, encore utilisées par les sauveteurs en mer, servaient, au siècle dernier, aux pêcheurs lançant leurs embarcations depuis les plages. Construites avec une quille à section carrée, un fond plat de surface réduite, deux hauts bordages largement évasés, une proue et une poupe surélevées, ces barques devaient franchir en force les premières vagues avant d'atteindre le calme de la haute mer ; elles offraient donc à la fois une bonne stabilité et suffisamment de puissance pour se dégager.

Ainsi, malgré l'existence de principes intangibles gouvernant la silhouette des bateaux à rames, ces embarcations présentent des formes spécifiques liées à des usages précis.

*Deux classiques régionaux :
une barque de St Lawrence (à
gauche) et un Whitehall
bordé à clin (ci-dessous).
Le premier, très proche des
guideboats des Adirondack,
fut construit à des milliers
d'exemplaires pour la
plaisance estivale.
Le second qui tire son nom
du quartier de Manhattan,
servait au siècle dernier
d'utilitaire dans le port de
New-York. Le modèle
photographié ici, bordé à clin
comme les anciennes barques
de ce type, a reçu
l'adjonction d'un siège
coulissant.*

71

Mark Edwards, le propriétaire du chantier de Constable's Boathouse sur la Tamise, à Hampton, a joué un rôle primordial dans le renouveau des bateaux en bois en Angleterre. Le chantier entretient et loue des barques pour la plaisance sur la Tamise. Indispensable à toute évolution, on voit ci-dessous la boite de suif utilisée pour graisser les dames de nage.

UN PEU D'HISTOIRE

Même si les bateaux à rames et à pagaies remontent à la plus haute antiquité, s'inspirant des radeaux préhistoriques et des vaisseaux vikings, la plupart d'entre eux n'ont acquis leurs formes définitives qu'au XIXème siècle. Conformément à la technique favorite des charpentiers anglais ou scandinaves, les premiers huit d'Oxford étaient des embarcations bordées à clin, utilisant d'anciennes méthodes de construction ; mais la finesse et l'élégance des formes et des détails sont apparues brusquement au siècle dernier.

Le terme « brusquement » n'a rien d'outrancier.

Détail : *le plancher d'une des embarcations de chantier de Constable's Boathouse. La plupart des barques louées par Mark Edwards pour les excursions sur la Tamise, sont plus que centenaires.*

Deux barques — l'une très simple, l'autre déjà plus sophistiquée —, attendent paisiblement au mouillage. La première, conçue par Phil Bolger, est un deux-mètres en contreplaqué destinée à être construite par des amateurs. En revanche, l'autre, un doris de quatre-mètres construit par John Gardner sur le modèle des célèbres barques de William Chamberlain, présente une belle ligne. C'est une barque de qualité, car, comme le souligne Gardner, « dans la limite des quatre-mètres, on ne saurait concevoir un meilleur rameur pour affronter la mer. »

© Allan Weitz

© Allan Weitz

Ce fut en effet une évolution rapide. Les vaisseaux massifs du XVIIIème siècle, les chaloupes des trappeurs, les chalands hollandais à voile ou à rames, et les lourds chalutiers écossais et scandinaves imités des vaisseaux vikings, ne semblent en rien préluder aux innombrables bateaux conçus au siècle dernier. Cependant la combinaison de nombreux facteurs permit une rapide accélération du progrès.

Grâce à la Révolution industrielle, les modes d'assemblage métallique et les outils se sont améliorés, le bois est devenu plus aisément disponible, la pêche et les transports maritimes se sont développés, et la compétition accrue entre les divers chantiers navals a favorisé l'innovation. Les navires ont donc évolué rapidement.

Le huit d'Oxford de 1829 a donné naissance aux canots de course modernes ; les canoës indiens en bouleau se perpétuèrent sous forme d'embarcations aux extrémités relevées, en bois en aluminium ou en matériaux synthétiques. Cette primauté du siècle précédent s'explique aussi par le fait que ce soit une des époques les mieux documentées grâce aux travaux érudits d'Howard Chapelle du Smithsonian Institute et de John Gardner du Mystic Seaport.

Alors qu'au siècle dernier, la plupart de ces bateaux étaient utilitaires, ils servent aujourd'hui principalement à la pêche, aux loisirs ou aux plaisirs d'une promenade en liberté, comme le souligne Peter Spectre. Parmi les modèles présentés ici, quelques uns peuvent être gréés, alors que d'autres ne se dirigent qu'à la rame ; enfin certains bateaux, munis de sièges coulissants, furent conçus principalement pour le sport.

Mais à leur manière, ce sont tous des embarcations sportives qui mettent le corps et le cœur à l'unisson.

Les doris sont des embarcations simples et rustiques faites de grosses planches et de membrures sciées. Le plus classique est le Banks qui tire son nom des bancs de pêche du nord de l'Atlantique, à l'époque où les goélettes mettaient à l'eau leurs doris pour pêcher à la traîne. Les barques banks étaient ensuite entreposées sur le pont de la manière illustrée ci-contre.

© Allan Weitz

Glisser au fil de l'eau bercé par le clapotis de la pagaie sur les flots, ramer à l'aube dans les bassins du port pour contempler les navires au mouillage, ou se laisser dériver, le soir venu, en traînant une ligne de pêche, constituent des expériences aussi simples qu'apaisantes.

Bien sûr, un canot d'aluminium ou une barque en fibre de verre rendent les mêmes services ; mais il n'est pas de meilleur choix qu'un bateau en bois dont le matériau représente une adéquation parfaite, une union esthétique idéale avec les reflets du soleil glissant sur les eaux et soulignant la fine ligne du sillage qui s'étend vers l'horizon.

LES VOILIERS

Sur un navire, la toile et le bois s'associent naturellement. La voile est une invention ancienne qui, pense-t-on, est apparue il y a plus de cinq mille ans.

La coque bordée à clin et les lignes tendues du voilier de la page précédente, illustrent bien l'influence des charpentiers scandinaves.
Page ci-contre, le Californian témoigne de la même tradition. Ce navire, construit par Melbourne Smith pour le compte de l'Etat de la Californie, est une réplique d'un des bâtiments des douanes qui patrouillaient dans les eaux du Pacifique à l'époque de la Ruée vers l'Or.

A L'EXCEPTION DES HORS-BORD OU DES CANOTS DE COURSE, les bateaux en bois de tout type — utilitaires, modestes barques à rames gréées en livarde ou yachts de luxe destinés à croiser dans les mers paradisiaques — peuvent être équipés de voiles. Aujourd'hui la majorité des voiliers sont assimilés à des navires de loisirs ou de compétition et on compte dans le monde plus de 400 classes de voiliers.

On estimait naguère que cinq mille voiliers croisaient en permanence sur les océans — certains accomplissant parfois des périples de plusieurs années — auxquels venaient encore s'ajouter les bâtiments réservés aux croisières touristiques ou aux excursions locales. Jusqu'aux années 60 ou 70, tous ces bateaux étaient en bois, avant que la mode de la fibre de verre et de l'aluminium, ne vienne en accroître considérablement le nombre.

A présent, dans les marinas encombrées de mâtures en aluminium, un voilier entièrement en bois passe pour une rareté.

UN PEU D'HISTOIRE

Pourtant sur un navire, la toile et le bois constituent une association naturelle.

La voile est une invention très ancienne qui est née, pense-t-on, il y a plus de cinq mille ans, avec les radeaux de roseau du Nil ou les bateaux en peaux de la Mésopotamie. Les Egyptiens, les

Ci-contre : *deux bateaux en bois qui, bien que très différents, portent des gréements semblables. Le premier, un yacht arborant un spinnaker, est un yawl équipé d'un mât d'artimon rejeté vers l'arrière ; le second est un canot Rushton gréé en ketch avec le mât d'artimon placé devant la mèche du gouvernail.*

Grecs, les Phéniciens, les Perses et les Romains, ont tous connus cette tradition. A l'époque de Jules César, les bateaux Celtes d'Irlande ou d'Angleterre se risquaient jusque sur le continent et, selon les anciennes chansons de geste anglaises, Beowulf naviguait ainsi avec ses compagnons jusqu'aux côtes danoises dès l'an 500. A l'autre bout de la planète, au temps de Marco Polo, les Chinois voguaient sur des voiliers immenses de quatre ou cinq mâts manœuvrés par des équipages comportant jusqu'à trois cents hommes

En dépit de son apparente simplicité, la voile est une technique aussi ancienne que complexe. La force du vent, apte à propulser les vaisseaux les plus lourds, requiert une structure robuste et une conception élaborée de la coque, des espars, des gréements et de l'accastillage.

Après avoir étudié les techniques modernes de construction en bois, Paul Lipke écrit dans *Plank on Frame*, en parlant des voiliers en bois : « *Les voiliers mettent généralement en jeu les développements ultimes de la technologie de leur époque. Il a fallu attendre l'ère de l'aviation pour voir se reproduire ailleurs un tel processus.* »

TECHNIQUE DES VOILIERS

Plus que tout autre vaisseau, le voilier est soumis à des forces considérables.

Sous peine de démâter, le pied de mât doit être fermement arrimé et tenu par un important gréement dormant, étais, haubans ou autres cordages et fils d'acier, pour résister aux tempêtes. Pourtant, lorsqu'un gréement, tel une corde de violon, est tendu à son maximum, il exerce une telle force qu'il risque de fausser ou d'endommager le fond de la coque.

Toutes les précautions sont donc prises pour éviter ces incidents : l'accastillage renforcé est en

Avec son gréement unique très avancé sur la coque, le cat-boat, compte parmi les bateaux traditionnels préférés. Spacieux grâce à un large bau, ce type de bâtiment à voile unique circule depuis plus d'un siècle le long des rivages de la Nouvelle-Angleterre.

A droite, *on voit un Beetle Cat en bois de la Concordia Company, tandis que ci-dessous on peut admirer un Crosby d'Osterville, construit dans le Massachusetts, selon un plan du début du siècle.*

© Benjamin Mendlowitz

© Jim Brown

Les « pilot cutter » du détroit de Bristol comptent parmi les meilleurs navires de tous les temps. A l'origine, ils étaient utilisés par les pilotes venant aider les bâtiments pénétrant sur les côtes occidentales de l'Angleterre par gros temps.

L'Hirta, photographié ci-contre, fut lancé en 1911. Aujourd'hui transformé en yacht de croisière, l'Hirta a successivement abordé les glaces du Groenland, les rives de la Russie, des Etats-unis et les eaux des Caraïbes.

bronze ou en acier, les espars sont taillés dans les meilleures fibres de sapin Sitka pour donner une flexibilité idéale, les coques sont soutenues par une solide charpente renforcée aux points d'attache des étais et des haubans. Ainsi les voiles restent le maillon le plus faible du bateau ; elles se déchirent parfois dans les tempêtes mais sans endommager les superstructures.

Cette technologie élaborée et complexe, fruit d'une intelligence millénaire, reste néanmoins fort vulnérable. Le romancier Joseph Conrad, ancien commandant de clipper, notait :

« Face au souffle impétueux de l'abîme, les cordages les plus résistants, les espars les plus robustes et les voiles les plus solides, ne sont que fétus de paille, toiles d'araignées et gazes légères. »

Les petits voiliers d'aujourd'hui ne se risquent plus à affronter le « *souffle impétueux de l'abîme* » comme le faisaient les voiliers de transport d'hier ; pourtant ils conservent en miniature une technologie identique. Dans la lutte de David et de Goliath qui ne cesse de se jouer sur tous les océans du monde, certains petits voiliers, des 7,50 mètres de haute mer, apparaissent aujourd'hui comme des combattants surarmés.

La plupart d'entre eux, ainsi que nombre de navires de régates, possèdent d'immenses quilles parfois lestées de plusieurs tonnes de plomb. Lorsque le vent souffle par le travers, la quille sert de contrepoids pour maintenir le bateau verticalement et l'empêcher de dériver latéralement. Quand la mer est forte ou agitée, elle atténue le mouvement et stabilise la marche du navire par vent arrière.

Grâce à ces quilles lourdement lestées, les plus petits voiliers peuvent désormais se risquer sur l'océan. Par gros temps, il suffit de réduire la toile, de déployer une voile de cape et de serrer au vent pour maintenir le navire immobile comme une bouée en attendant le passage du grain. En revanche, avec un bateau à moteur, la même manœuvre nécessite des efforts incessants pour tenir le gouvernail sous les chocs de la tempête tout en priant pour que les moteurs ne lâchent pas ; et seuls quelques yachts à moteurs très puissants osent se risquer dans une longue traversée.

Tous les voiliers sont conçus et construits pour résister aux assauts impétueux de l'eau et du vent. Sur un bâtiment traditionnel, les drisses, les cadènes et l'accastillage des mâts, même s'ils semblent surannés, présentent des qualités éprouvées au fil des siècles.

Les voiliers plus légers, non destinés à affronter les tempêtes, utilisent des quilles mobiles coulissant dans une fente de la coque pour contrebalancer la poussée sur les voiles, tandis que l'équipage agit en contrepoids sur le bord « au vent » pour éviter le basculement du navire.

Les voiliers sont des engins magnifiques chargés de romance. Un 12 mètres conçu et construit à la perfection pour l'America's Cup ou un trimaran en bois moulé partant pour une course transatlantique, participent de la même beauté et de la même logique qu'une voiture de course

© Allan Weitz

86

Ces deux images de sloops « Friendship » montrent un type de navire très professionnel naviguant dans la baie de Penobscot. Conçus dans la seconde moitié du XIXème siècle pour la pêche à la langouste sur les côtes du Maine, ces bâtiments tirent leur nom de la ville de Friendship où étaient installés les meilleurs chantiers. Cet utilitaire de style clipper constitue aujourd'hui un type de yacht très apprécié.

© Allan Weitz

© Allan Weitz

© Neil Rabinowitz

Comment nier la beauté des voiliers traditionnels ? On voit ici deux exemples admirables : un Nordic Folkboat, merveilleux huit-mètres aussi apte à courir qu'à traverser les océans, et, ci-dessous, un petit cat-boat Beetle de plaisance.

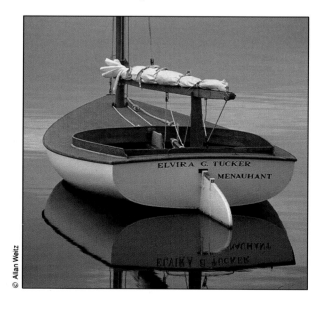

© Allan Weitz

ou qu'un avion de chasse. La ligne et le gréement d'une réplique ancienne ou d'une goélette, conservent la beauté et la poésie d'un univers à part entière, tantôt luxueux domicile ancré dans un port, tantôt engin magnifique taillé pour courir le vaste monde.

Même les plus modestes embarcations possèdent cette beauté issue de la tradition.

Quel plaisir de diriger un navire de ses mains, de jouer avec la force de l'eau et de l'air, en sentant la barre frémir sous ses doigts, lorsque le vent gonfle la toile et que l'eau glisse en bouillonnant le long de la coque.

La beauté et le romantisme des voiliers sont indissociablement liés à ce contrôle des éléments. Tourner les forces de la nature à son avantage, manier le bateau et les voiles, jouer avec le vent et l'eau, tendu vers un seul but — que ce soit une course âprement disputée ou une promenade nonchalante —, vivre le paradoxe d'une simplicité apparente dissimulant une technique complexe, faire autant preuve d'habileté que de jugement, en un mot, jouir de la beauté et de la vérité, telles sont les vertus représentées par la navigation à voile.

Ces pages présentent aussi bien des esquifs à voile unique que d'orgueilleux vaisseaux aptes à boucler le tour du monde. Mais tous ont été conçus pour la navigation de plaisance, un plaisir dans lequel le bois entre pour une large part. Tous les puristes et amoureux de la tradition navale, s'accordent pour reconnaître qu'un pont en teck, des accessoires d'acajou verni, des espars en sapin, des surfaces travaillées à la perfection pour former une véritable harmonie, sont des merveilles incomparables.

Seuls les voiliers en bois possèdent cette véracité. Héritiers du style et de la matière de leurs ancêtres, ils conservent la mémoire des chefs d'œuvre de la tradition navale.

LES NAVIRES DE LABEUR

Les bateaux utilitaires en
bois représentent
l'archétype des navires,
tels les ultimes
descendants d'un arbre
généalogique remontant
aux chalands hollandais
qui donnèrent naissance
aux yachts, aux bateaux
légers qui avitaillaient les
vaisseaux de Christophe
Colomb, aux galères
saxonnes transportant les
colons vers l'Angleterre,
à la barque des apôtres
en Galilée ou à Charon,
le passeur des âmes.

Fort différents des yachts ou des rameurs traditionnels, les navires de labeur sont souvent grossiers et dotés d'une finition fruste qui traduit leur vocation de travailleurs des mers.
Voici un langoustier du Maine (pages précédentes) et un chalutier de Nouvelle-Angleterre (ci-contre). Ces deux vétérans sont construits en bois, mais leurs homologues récents sont généralement en fibre de verre.
Les bâtiments de pêche modernes sont, quant à eux, le plus souvent en acier.

JUSQU'AU XIXeme SIÈCLE, TOUS LES NAVIRES DE LABEUR ÉTAIENT EN BOIS et presque tous les bateaux en bois furent des utilitaires. A l'origine, ces bâtiments ont toutes les formes : canots des trappeurs canadiens, Whitehall des marchands du port de New-York au siècle dernier, ou goélettes de pêche de l'Atlantique au début de ce siècle. Même si en Europe et aux Etats-Unis, on a actuellement tendance à les remplacer par des bateaux en matériaux synthétiques, les navires de labeur en bois sont encore présents dans le monde entier.

LES CLASSIQUES

Les utilitaires furent à l'origine de nombreux bâtiments modernes. Ainsi, les premiers yachts apparurent comme des versions luxueuses des bâtiments côtiers, bateaux de pilote, chalands ou navires de cabotage. En Angleterre, les gentlemen jouant de l'aviron sur la Tamise ou la Cam, utilisent encore des canots imités de ceux des anciens pêcheurs de la région. Bâtiments de labeur ou de loisirs sont des proches parents que seuls différencient quelques raffinements.

Parmi les utilitaires du Canada et des Etats-Unis encore en activité, on compte les chalutiers de la baie de Chesapeake spécialisés dans l'ostréiculture et le ramassage des crabes, les skipjacks qui draguent les bancs d'huîtres à la voile, les gillnetters spécialisés dans la pêche au saumon en Alaska, et sur la côte du Pacifique, les vieux bateaux pêchant la crevette dans le sud, les divers chalutiers

© Eric Poggenpohl

Derniers bâtiments de pêche en bois encore en usage aux Etats-Unis, les skipjacks de la baie de Chesapeake, sont utilisés pour la récolte des huîtres. Les propriétaires les conservent, non par choix, mais en vertu d'une réglementation destinée à protéger les bancs qui risqueraient d'êtres altérés par des techniques de pêche plus modernes.

© Eric Poggenpohl

de la Nouvelle-Angleterre ainsi que les langoustiers du Maine et du Canada souvent construits en bois de Nouvelle-Ecosse.

Mais dans d'autres parties du monde où le métal et les matériaux synthétiques sont peu répandus ou trop onéreux, les seuls navires utilitaires sillonnant les côtes, sont encore en bois. Ainsi on prétend qu'en comptant les pirogues et les bacs, le Bengladesh possède plus de bateaux en bois que toutes les autres nations du monde réunies.

Au Belize, au sud du Mexique, l'ensemble de la flotte de pêche et de transport est encore en bois et navigue à la voile. Les goélettes indonésiennes et les sloops du Chili utilisés pour le transport du bois de chauffe, sont aussi fabriqués en matériau traditionnel. Au large du Brésil et dans le

Longs et minces, avec un immense pont entièrement dévolu au transport de la cargaison, les sardiniers de la Nouvelle-Angleterre comptent parmi les plus beaux utilitaires du monde. Ces bâtiments reçoivent des tonnes de poissons pêchés par des barques légères, qu'ils acheminent ensuite vers les usines de traitement.

Pacifique, on ne compte plus les canots, les outriggers et les embarcations en bois destinés à la pêche. Enfin, sur les cours d'eau d'Afrique et d'Amérique du sud, de nombreux rafiots à moteur diesel, rappelant le célèbre *African Queen*, continuent encore à transporter marchandises et passagers.

UNE BEAUTÉ FONCTIONNELLE

Ces bateaux faits pour assurer le service d'autres bâtiments, partir à la pêche, ramasser les coquillages ou les huîtres, transporter des cargaisons ou se livrer à mille travaux de cabotage, mènent une vie rude.

Le langoustier et les casiers sont les symboles classiques de la pêche aux crustacés sur les côtes du Maine. Avant les années vingt, on utilisait des peapods, des sloops de type Friendship ainsi que diverses chaloupes à moteur ; mais, depuis cette date, le langoustier est devenu le bâtiment le plus répandu pour le pêche.

La peinture leur tient lieu de vernis, la simplicité de leurs lignes et de leurs superstructures trahissent leur humble fonction utilitaire ; et leur architecture, aussi robuste que pragmatique, n'a rien à voir avec les réalisations sophistiquées des navires de luxe. Leur style n'appartient qu'à eux. Tels des camions comparés à des automobiles, ils évoquent un univers de force et de travail.

A la différence des yachts, ces utilitaires réservent toute la place disponible au travail. Les chalutiers disposent de vastes cales pour emmagasiner les tonnes de poissons déversées par les barques de pêche, alors que le pilote et les machines n'ont droit qu'à un espace minimum. De même les skipjacks ont de vastes ponts pour trier les huîtres et manier les voiles, alors que l'équipage ne dispose que d'un minuscule carré pour prendre ses repas et s'abriter du mauvais temps. On retrouve les mêmes dispositions sur de nombreux navires de labeur comme les langoustiers qui, comme tous les bateaux de pêche, présentent un plat bord surbaissé — en ce cas, à l'arrière — pour permettre de hisser les filets. Enfin, les remorqueurs et les bateaux des chantiers navals sont des monstres musculeux où les moteurs occupent un espace considérable. Ce sont les locomotives de la mer, avec des engins disproportionnés pour leur taille, afin de pousser ou de tirer les autres navires. Même les sharpies et les peapods sont, à leur manière, plus spacieux que leurs équivalents en navigation de plaisance.

Les navires de labeur sont entièrement tournés vers le monde du travail, et même les modèles récents, construits en métal ou en plastique, ont conservé les formes et le style de leurs ancêtres en bois. Car ces utilitaires représentent l'archétype des navires, tels les ultimes descendants d'un arbre généalogique remontant aux chalands hollandais qui donnèrent naissance aux yachts, aux bateaux légers qui avitaillaient les vaisseaux de Christophe Colomb, aux galères saxonnes transportant les colons vers l'Angleterre, à la barque des apôtres en Galilée ou à Charon, le passeur des âmes.

LES HORS-BORD

Il existe des hors-bord de tous types : pour la course, la promenade ou le ski nautique. Quelque soit leur usage, ces petits bateaux de vitesse apparus au début du siècle, sont avant tout destinés aux loisirs. Tels des motos et des voitures de sport, la race et le caractère sont leurs principales qualités.

Sur les pages précédentes, *on peut admirer un splendide regroupement de Chris-Craft des années trente et quarante, alignés à l'occasion d'un concours de beauté réservé aux hors-bord de l'âge d'or.*
Ci-contre, *il s'agit d'un Gar Wood à double cockpit de 1937. Pendant l'entre-deux-guerres, on trouvait des milliers de bateaux de vitesse de ce style dans le monde entier.*

IL EXISTE DES HORS-BORD DE TOUS TYPES, pour la course, la promenade ou le ski nautique, mais quelque soit leur usage, ces petits bateaux de vitesse, apparus au début du siècle, sont avant tout destinés aux loisirs.

Nous les appelons « hors-bord » d'une manière très générale, pour les distinguer des simples canots, également équipés d'un moteur, mais que leur faible vitesse confine à des taches plus utilitaires. Comme pour les motos ou les voitures de sport, la race et le caractère sont les principales qualités des hors-bord qui, dans la pratique, n'ont guère d'autre utilité que de tirer des skieurs. Malgré la mode des bateaux classiques en bois qui a favorisé l'éclosion de clubs, d'expositions et de concours d'élégance primés de superbes récompenses, les principales fonctions de ces bateaux demeurent la vitesse et l'amusement.

Cette notion de vitesse est très relative.

Elle inclut aussi bien l'avance gracieuse d'une chaloupe en acajou munie de sièges en osier — soit 40 kilomètres à l'heure, un exploit pour un bateau familial des années vingt — que les 288 km/h atteints par certains speedboats aux Grand Prix de 1990. Cependant la plupart se limitent à 50/80 km/h, mêlant l'élégance à la performance selon des critères établis il y a plus d'un demi-siècle.

UN PEU D'HISTOIRE

A la fin du XIXème siècle, quelques milliardaires pouvaient déjà acquérir des canots à vitesse mus par une chaudière à vapeur. Ainsi, en 1888, le plus rapide bateau américain, un 15 mètres, dépassait déjà 40 km/h. Mais il fallut attendre le début du siècle et le développement des moteurs à explosion pour voir se populariser les hors-bord.

Comme dans le domaine de l'automobile, la mise au point du moteur à essence a permis un essor rapide qui se matérialisa en 1897 avec la rencontre de deux hommes dans un atelier de Detroit, John Hacker, un des plus grands concepteurs de hors-bord, et le célèbre Henry Ford. Ils collaborèrent et se lièrent bientôt d'amitié.

Le Hacker-Craft de 1916 est l'ancêtre de tous les hors-bord en acajou de l'entre-deux guerres. Certains modèles actuels s'inspirent encore de cette ligne classique. En effet, en dépit de leurs performances, les bateaux modernes en matériaux synthétiques ne dépassent guère la vitesse de leurs ancêtres

Dès 1907, une coque américaine en forme de canot et un prototype d'hydroglisseur anglais atteignirent presque la barre des 50 km/h. Trois ans plus tard, un petit hydroplane français et un énorme racing boat britannique de 760 chevaux, réussirent tous deux à dépasser le 65 km/h. Mais dès l'année suivante, en 1911, ce record fut porté à 80 km/h par un hydroplane américain dessiné par John Hacker et par un second hors-bord britannique appartenant au même lord anglais. Deux ans plus tard, ces mêmes navires, encore améliorés, atteignirent 96 km/h.

Enfin, en 1920, un des racers d'Hacker était, dit-on, capable de dépasser le 110 km/h en ligne droite et sur eau calme.

Ci-contre : *vue aérienne d'une course réservée aux vétérans. En tête, on voit caracoler un raceboat de classe illimitée des années quarante, un bâtiment prévu pour dépasser le 160 km/h. Les autres hors-bord sont des engins de plaisance plus lents, mais néanmoins capables d'atteindre 60 km/h.*

Le pont photographié ci-dessous offre un bel exemple de la qualité d'ébénisterie obtenue par certains charpentiers de marine.

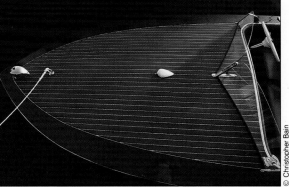

© Norman Wangard

Tous les hors-bord en acajou des années vingt à soixante, illustrent la splendeur des bois vernis. Mais la Greavete Streamliner, montrée ci-contre en plan général et ci-dessous en détail, illustre un véritable tour de force de conception et de construction.

Construites de 1936 à 1950 par les chantiers de Greavette Boats à Gravenhurst, dans l'Ontario, ces Streamliners (littéralement « lignes effilées ») témoignent d'un splendide mariage entre le design industriel des années quarante et les techniques de la charpente navale.

© Norman Wangard

Avant 1920, ces engins étaient fabriqués par quelques rares artisans dans les petits ateliers spécialisés de Wayzata (Minnesota), Alexandria Bay (New York) ou Atlantic City (New Jersey).

Mais dans l'entre-deux guerres, on mit au point de nouveaux moteurs très performants qui permirent le début d'une production de masse pour un prix de revient modéré. La propulsion était alors assurée par des blocs-moteurs, sophistiqués mais fiables, mis au point à l'occasion de la première Guerre Mondiale et qui, après le conflit, inondèrent le marché des surplus.

Dans les années vingt, Horace Dodge équipa les bateaux de sa marque de moteurs Curtiss. De même, Gar Wood racheta la firme des moteurs Liberty pour ses hors-bord et ses bateaux de courses. D'autres constructeurs utilisèrent des 200 chevaux Hispano-Suiza. A Algonac, dans le Michigan, un certain Chris Smith, se procura sur le marché des surplus, des moteurs OX-5 de Curtiss qu'il se vantait d'acquérir au prix dérisoire de cinquante dollars pièces

En mémoire de leur père, les fils de Chris Smith décidèrent de baptiser ces engins du nom de Chris-Craft, créant ainsi un nouveau type de bateau qui devait dominer le marché pendant des décennies.

En effet, à la différence des voiliers, bateaux à rames, utilitaires ou même yachts, qui ont tous de lointains antécédents, les hors-bord représentent une nouveauté.

Nés avec l'automobile, ils ressemblent à leurs modèles terrestres, les voiture de sport de l'âge d'or. D'ailleurs, aux Etats-Unis, on parlait plus souvent d'autoboats que de speedboats.

Le célèbre *Belle Isle Bearcat* conçu par Hacker en 1919 tirait directement son nom d'une automobile de luxe de l'époque, la Stutz Bearcat.

Avec des banquettes capitonnées, un coupe-vent chromé, des accessoires profilés, et un vaste habitacle permettant à toute une famille de jouir du paysage, du soleil et du vent de la vitesse, la réplique d'Hacker-Craft de 1929, construite par Bill Morgan, rappelle parfaitement les luxueuses limousines Packard, Pierce-Arrow ou Cadillac de l'époque. Un bateau comme le Nichols de 1929 dont le style remontait aux années avant-guerre, ou le Fay & Bowen de 1926, avec son immense habitacle et ses chaises cannées, évoquent les grosses Ford T.

Enfin, parmi les plus récents, les hors-bord Greavette Streamliner, ces molles sculptures en bois, sont l'équivalent — tout aussi tapageur — des belles décapotables des années 50 ; et un Cris-Craft Cobra, tant en performances qu'en esthétique, s'apparente parfaitement aux Corvette Sting-Ray.

Pourtant un élément fait toute la différence : le bois.

Et quel bois !

Le Zipalong, un classique de la firme Gar Wood, est beaucoup plus qu'un simple bateau de parade. L'été, il est encore en activité sur le Saint-Laurent où il sert à rallier les diverses résidences des Thousand Islands à plus de 60 km/h.

Vers 1955, à la fin de l'âge
d'or des hors-bord en acajou,
la firme Chris-Craft lança le
Cobra, un superbe modèle,
fin et élancé, entièrement
réalisé en bois verni, à
l'exception du pont et de
l'aileron arrière modelés en
fibre de verre, matériau
totalement nouveau pour
l'époque. Comme les belles
américaines du temps,
généreusement ornées de
chromes et de saillies
agressives, le Cobra reste un
chef d'œuvre esthétique.

© Norman Wangard

© Norman Wangard

A l'exception de la quille peinte et d'une bande colorée marquant la ligne de flottaison, tous les hors-bord présentés dans ce chapitre arborent les plus beaux bois vernis. Le pont et les divers détails d'aménagement, aux chaudes teintes de rouge, sont le plus souvent en acajou.

Certains présentent parfois des bordages peints, comme le *Tartar*, un utilitaire de la baie de Chesapeake, qui ne possède que quelques éléments vernis en revanche le *Ravelston*, est entièrement habillé de bois vernis harmonieusement ajustés pour s'adapter au sens des fibres.

On dirait un piano de compétition !

Ces engins uniques font partie des plus beaux bateaux du monde. Comme une Stutz Bearcat ou une Corvette Sting-Ray, ils sont conçus exclusivement pour le plaisir de la randonnée.

Imaginez un beau jour d'été sur un grand lac : le moteur vibre en faisant frémir le bois, les embruns s'envolent quand le hors-bord saute par dessus les vagues ; à l'arrière le sillage s'étire comme la chevelure d'une comète, et, par dessus le pare-brise, le vent balaie le pont à plus de 60 km/h.

Certes un hors bord moderne fournirait les mêmes performances, mais il ne saurait rivaliser avec une telle qualité de plaisir.

LES YACHTS DE LUXE

De tous les navires de plaisance, les yachts sont les seuls dont l'ambiance se rapproche de celle des demeures terrestres. Parfois luxueuses, mais toujours intelligemment agencées avec le plus grand confort, ces habitations sont en fait des engins taillés pour courir le vaste monde.

Le Thunderbird, *l'extraordinaire création montrée en* pages précédentes *fut conçu par John Hacker en 1939 pour le compte d'un riche riverain du lac Tahoe. Destiné à effectuer des liaisons rapides sur le lac, ce bâtiment témoigne de la virtuosité d'Hacker qui sut adapter les lignes et les matériaux des années trente aux nécessités de la construction navale.*

Avec sa cabine en acier inoxydable et ses deux moteurs Allison d'aviation, cette navette dépasse le 110 kilomètres/heure.

Page ci-contre, le Shamrock V *arriva en Amérique en 1930 pour disputer l'America's Cup. Il ne remporta jamais la coupe, mais ce bâtiment reste un des rares survivants de classe J des années trente.*

Aujourd'hui il vogue pour le compte du Museum of Yachting de Newport, dans le Rhode Island.

Tous LES NAVIRES ILLUSTRANT CE CHAPITRE, REPRÉSENTENT LE SUMMUM DU CONFORT ET DE L'AGRÉMENT. A leur échelle réduite, ce sont des résidences aussi prestigieuses que les manoirs ou les châteaux habités par leurs heureux propriétaires, et les invités y retrouvent l'ambiance des grands palaces.

Le yachting naquit aux Pays-Bas lorsque les responsables des grandes compagnies maritimes firent transformer quelques utilitaires de leur flotte pour leurs loisirs. Les Anglais, sous l'égide du roi, s'emparèrent de l'idée et dès le début du XIXème siècle, le yachting se développa rapidement en Europe et aux Etats-Unis. Les premiers *jachts* hollandais devinrent, en passant dans la langue anglaise, des *yachts* et constituèrent bientôt un type de bateaux à part entière.

QUELQUES RÉFÉRENCES HISTORIQUES

Aux Etats-Unis et en Angleterre, les grands yachts en fer et acier, mus à la vapeur au siècle dernier, ou remplacés par des diesels dans les années vingt, étaient des bâtiments de grand luxe mesurant de 30 à 120 mètres. Ils ont cependant été supplantés par les « méga-yachts » des dernières décennies, impressionnants avec leurs immenses cambuses, leurs bibliothèques, leurs salons aux cheminées de marbre, leurs caves à vins et leurs salles de gymnastique avec jacuzzis. Mais de tels palaces flottants n'ont jamais été construits en bois.

En effet, les yachts en bois, généralement plus petits que leurs homologues en matériaux synthétiques, ont une limite de taille évidente qui interdit de tels étalages de luxe. L'opulence des

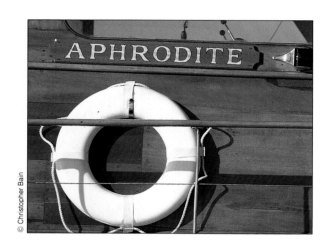

L'Aphrodite que l'on voit en détail sur ces deux pages, est une des plus belles navettes jamais mises à l'eau. Construite en 1937 pour John Hay Whitney, elle servait à rallier Long Island à Manhattan et, durant les week-ends, partait en croisière en direction de Fisher's Island. C'est un des plus beaux exemples de transport de luxe.

sols de marbre, les réceptions accueillant une centaine d'invités, les équipages de plusieurs dizaines d'hommes et les somptueux appartements équipés de tout le confort, n'appartiennent pas à l'univers des bateaux en bois.

Pour permettre au navigateur de s'évader du monde et de son agitation, un bon yacht doit offrir une atmosphère douillette, simple et sans luxe tapageur, comme ceux présentés dans ces pages qui incarnent cette qualité à la perfection. Nous limiterons donc volontairement l'étalage des richesses : la somptuosité ne doit pas éclipser les impératifs du yachting considéré comme un sport, un changement d'habitude et l'occasion de se retrouver en communion avec la nature.

Sans prétendre à l'opulence, les navires présentés ici incarnent cependant un certain faste, une forme de luxe comme lorsqu'un de mes oncles, dans les années cinquante, embarqua sur un 12 mètres en acajou pour fuir ses affaires en naviguant de New-York à la Floride. Ou lorsque John et Marge Pannell entreprirent naguère de restaurer le superbe *Aphrodite* de John Withney, pour s'y installer en famille de manière permanente et inviter leurs amis en croisière du Canada à la Floride.

C'est cette même notion de luxe qui poussa la famille Albritton à restaurer le *Mykonos*, un des grands Rybovich de pêche sportive, pour descendre vers les Keys et s'adonner aux joies de la pêche au gros. De même, Sir Thomas Lipton, homme sans prétention préférant le confort au luxe, conçut son *Shamrock V* avant tout comme un yacht de course, conservant par ailleurs son immense *Erin*, un yacht à vapeur en métal, pour héberger ses hôtes et s'y réfugier lorsque le *Shamrock* disputait une épreuve. Cela n'empêcha pas le dernier de ses *Shamrock,* un yacht en bois, de présenter un certain luxe, comme des boiseries en érable et un carré d'un grand confort où Sir Thomas Lipton aimait se réfugier avec ses proches durant les tempêtes.

© Christopher Bain

Découverte rouillée et abandonnée sur un chantier naval de Long island en 1983, l'Aphrodite fut restaurée par John Pannell dans son chantier de Port Washington. Aujourd'hui, après avoir entièrement retrouvé son état d'origine, elle est la vedette de toutes les manifestations.
Depuis sa restauration, John Pannell et sa famille ont élu domicile à bord de cette maison flottante.

L'emploi intensif des bois vernis confère une ambiance luxueuse à ces yachts. Et même les cloisons ou les plafonds peints se distinguent par un agencement différent.

Il est vrai que les grands bâtiments en acier ou en aluminium font aussi un usage prolifique du bois dans les aménagements de pont, comme la cabine de navigation, les bancs, les sièges, les espars et les lisses. Pourtant, même si cet étalage d'acajou, de teck, de chêne et de noyer, tente de simuler une « ambiance yacht », ces gros bâtiments de métal ne font que jouer les parvenus.

Car seuls les yachts en bois possèdent une élégance naturelle.

De tous les navires de plaisance, les yachts sont les seuls dont l'ambiance se rapproche de celle des demeures terrestres. Parfois luxueuses, mais toujours intelligemment agencées avec le plus

© Jim Brown

Véritable chef d'œuvre de la restauration des bateaux en bois , le Mykonos *a été entièrement remis en état par la famille Albritton de Palm Beach en Floride. Quand il ne part pas au large, affronter le Gulf Stream pour des parties de pêche au gros, ce bâtiment, construit en 1956 aux chantiers Rybovich de West Palm Beach, continue encore à faire tourner plus d'une tête.*

grand confort, ces habitations sont en fait des engins taillés pour courir le vaste monde. Rien de plus simple que de partir au hasard avec sa maison pour se retrouver le lendemain, au soleil levant, en train de siroter son café, face au spectacle des poissons bondissant hors de l'eau sous le regard perçant des pélicans qui les guettent du sommet des palétuviers. Hier encore, vous étiez ancré à Miami et vous voici à présent, au large de la Floride sans âme qui vive à l'horizon. Vous voici pourtant dans votre maison, avec un carré et sa confortable couchette, au milieu de vos livres et de vos disques préférés, avec une cambuse pleine de provisions pour deux semaines de mer.

Posséder un yacht dans ces conditions, c'est avoir l'impression que le monde vous appartient.

Les photos de yacht montrées sur ces pages permettent d'imaginer ce style de vie. Pensez au plaisir d'inviter quelques amis à un cocktail alors que le navire est ancré au port ; pourtant ceci n'est rien comparé à la joie de partir en croisière vers l'inconnu dans le confort de sa maison. Imaginez le *Mykonos* à trois heures au large de Palm Beach, ballotté par la houle légère du Gulf Stream, se balançant mollement sous un ciel pommelé de gros nuages blancs. Il est dix heures du matin, vous sirotez un dernier café. Les moteurs se sont tus. Vous étiez parti à la pêche au requin, mais vous n'avez réussi qu'à accrocher une dorade qui, d'ailleurs, s'est libérée.

Mais qu'importe ! Il y en aura d'autres et, de toute manière, dans une telle ambiance, la pêche n'est qu'un prétexte …

Imaginez l'*Altaïr* naviguant sous pleine toile par un vent de 20 nœuds. Tendu sous la brise, le navire avance en butant sur les vagues qui secouent l'étrave et font claquer les voiles, tandis que des flots d'embruns volent par-dessus le beaupré. Sous le soleil du crépuscule, les bois luisent faiblement, contrastant avec l'éblouissant sillage d'écume. Vous êtes encore à deux heures d'Ibiza où vous comptez jeter l'ancre. Mais qu'importe l'heure...

Le Kaiulani est un classique moderne construit en 1983 à San Diego pour le compte d'un propriétaire fervent de pêche sous-marine dans les récifs de corail du Pacifique. Cette belle goélette, dotée d'une machinerie et d'un accastillage modernes, présente autant de confort que la plus luxueuse des résidences.

Imaginez le *Mer-Na*, croisant au nord de Seattle, remontant à l'abri le long des forêts de pins et des côtes déchiquetées de Vancouver Island. Loin à tribord, on aperçoit soudain un jet d'écume lancé par une baleine, et le skipper hésite un bref instant. Doit-il faire un crochet pour s'approcher du troupeau qui croise dans ces parages ou doit-il garder son cap pour arriver au port avant la fin de cette longue soirée d'été ? Un coup d'œil aux cartes et un rapide calcul lui confirment qu'il doit maintenir son cap. Il faut se contenter du temps et du lieu, du vieux moteur Royal de Chrysler qui ronronne et de la pensée de ce restaurant où tout l'équipage doit se retrouver pour dîner.

Décider où aller et choisir la meilleure route : voila les vrais plaisirs des croisières.

Mais imaginons encore le *Desperate Lark* ancré un matin de printemps. Après deux jours de ciel

Le Mer-Na, *construit en 1930 par la Blanchard Boat Company de Seattle, est un bel exemple du style cossu des yachts des années vingt ou trente. Une débauche de bois vernis et de fines touches soulignées par une peinture immaculée en font une confortable demeure de vacances ; elle abrite aujourd'hui le photographe Marty Loken et sa famille.*

© Marty Loken/Allstock

© Marty Loken/Allstock

bleu, le temps est au calme. On décide alors qu'il est temps de revernir et de traiter le beaupré et l'épontille qui ont été légèrement endommagés lors de la saison précédente. Assis à l'avant du pont, le papier émeri à la main, le propriétaire songe qu'il aurait pu donner cette réparation à faire à un chantier. Mais il adore ce travail et il se voit déjà en train de jouer du pinceau pour poser un vernis parfait sur le chêne fraîchement raboté.

Les yachts en bois sont une invitation à la croisière — un plaisir inestimable —, mais ils sont aussi source d'innombrables responsabilités. La permanente remise en état, le maniement du navire, l'organisation des sorties ou le comportement du bateau à son port d'ancrage, sont autant de soucis constants. Mais c'est aussi, comme le reconnaît Jon Wilson, tout ce qui constitue le lien entre l'homme et son navire, une relation privilégiée que l'on ne retrouve ni avec une automobile ni même avec un foyer, un lien exigeant qui dépasse le simple fait de posséder ou de se servir d'un objet.

La possession d'un bateau en bois permet d'accéder à l'essentiel. La beauté et la vérité.

Le Ragtime rappelle la musique de jazz qui fleurissait dans les années vingt lorsque cette navette superbement profilée fut construite par la Consolidated Shipbuilding de New York, pour permettre aux millionnaires de Wall Street de gagner leurs résidences du bord de mer. Lancé en 1928, ce bâtiment de dix-neuf mètres est utilisé aujourd'hui en croisière. C'est un des rares survivants de cette firme.

**Les Écoles
de Charpentier naval**

The Apprenticeshop
Maine Marine Museum
963 Washington Street
BATH, ME 04530.

Bates Vocational and Technical Institute
of Tacoma
Boatbuilding Program
1101 South Yakima
TACOMA, WA 98405.

Brookfield Craft Center
P.O. Box 122
BROOKFIELD, CT 06804.

© Allan Weitz

Buffalo State College
Bill Bartoo
Design Dept.
1300 Elmwood Avenue
BUFFALO, NY 14222.

Cape Fear Community College
David Flager
411 No. Front Street
WILMINGTON, NC 28401.

The Center for Wooden Boats
1010 Valley Street
SEATTLE, WA 98109.

Chesapeake Bay Maritime Museum

Boatbuilding Courses

P.O. Box 636

ST. MICHAELS, MD 21663.

Cowichan Bay Boatschool

c/o Cowichan Wooden Boat Society

Box 787

Duncan, BC V 9L 3Y1

CANADA.

Duck Flat Wooden Boats

Robert Ayliffe

27 Hack Street

Mount Barker, S.A. 5251

AUSTRALIE.

Falmouth Technical College

Department of Technology

Falmouth, Cornwall, TR11 309

GRANDE-BRETAGNE.

Great Lakes Wooden Boat School

Mike Kiefer

227 Prospect

SOUTH HAVEN, MI 49090.

International Boatbuilding

Training Centre

Harbour Road, Oulton Broad

Lowestoft, Suffolk, NR 323L2

GRANDE-BRETAGNE.

James Watt College
William Smith
Finnart Street
Greenock. ECOSSE.

Kingston College of Further Education
Kingston Hall Road
Kingston on Thames
Surrey.
GRANDE-BRETAGNE.

The Lake Champlain
Maritime Museum
Boatbuilding Courses
BASIN HARBOUR, VT 05491.

© Allan Weitz

The Landing School of Boatbuilding
Box 1490
KENNEBUNKPORT, ME 04046.

Les Ateliers de l'Enfer
Place de l'Enfer
Jean-Louis Dauga
29100 Douarnenez
FRANCE.

Lowestoft College of Further Education
Department of Construction &
Shipbuilding
St. Peters Street
Lowestoft, Suffolk NR32 2NB
GRANDE-BRETAGNE.

Maine Marine Trade Center
Washington County Technical College
Deep Cove Road
EASTPORT, ME 04641.

Marine Builders' Training Scool
Hazel Road
Woolston
Southampton, SO2 7GB
GRANDE-BRETAGNE.

The Marine Museum Boatshop
Esat Hampton Historical Society
42 Gann Road
E. HAMPTON, NY 11937.

Miami Dade Community College
The Boating Center / South Campus
11011 S.W. 104 Street
MIAMI, FL 33176

Mystic Seaport Museum
Boatbuilding Courses
Helen Packer, Ships Plans.
MYSTIC, CT 06355.

The National Maritime Museum at
San Francisco
Boatbuilding Courses
Foot of Polk Street
SAN FRANCISCO, CA 94109.

New Brunswick Community College
Gerald Ingersoll
Boatbuilding Program
P.O. Box 427
St. Andrews, NB E0G 2X0
CANADA.

Norfolk School of Boatbuilding
Pier B., Brooks Avenue
P.O. Box 371
NORFOLK, VA 23510.

Northwest School of Wooden
  Boatbuilding
Glen Cove Industrial Park
251 Otto Street
PORT TOWNSEND, WA 98368.

The Rockport Apprenticeshop
P.O. Box 539D, Sea Street
ROCKPORT, ME 04856.

School for Yacht Restoration
The Museum of Yachting
P.O. Box 129
NEWPORT, RI 02840.

Seattle Central Community College
Trade & Ind. Div. / Marine Carpentry
23rd Avenue and South Lane
SEATTLE, WA 98144.

South Street Seaport Museum
Boatbuilding Programs
207 Front Street
NEW YORK, NY 10038.

Southampton College of Higher
   Ediucation
Yacht Design / Boatyard Management
East Park Terrace
Southampton, Hampshire.
GRANDE-BRETAGNE.

The Sydney Wooden Boat School
River Quays
140 Tennyson Road
Mortlake, N.S.W. 2137
AUSTRALIE.

© Christopher Bain

The Thousand Islands Shipyard Museum
Boatbuilding Courses
Bill Smithers
750 Mary Street
CLAYTON, NY 13624.

University of Alaska at Juneau
Boatbuilding Program
11120 Glacier Highway
JUNEAU, AK 99801.

WoodenBoat School
WoodenBoat Magazine
Rich Hilsinger
P.O. Box 78
BROOKLIN, ME 04616.